Chère Lectrice,

Ce mois-ci, décou ont toutes, parfois sans l our, vont rencontrer l'homme de leur vie... et vous constaterez que la réalité dépasse presque toujours les rêves les plus fous.

Liza, la première d'entre elles, décide un beau jour de mettre le *Cap sur l'amour* (n° 1479), et de faire, plutôt qu'une grande carrière, un « beau mariage »... Un projet contrarié par Scot Harding, son patron, un homme aussi séduisant que tenace !

Amy se heurte elle aussi à un refus lorsqu'elle cherche à persuader Matt Gray de s'occuper de son fils, dont il ignorait jusqu'alors l'existence. Mais le petit garçon, véritable *Artisan du bonheur* (n° 1480), saura vaincre les réticences de ce grand solitaire...

Quant à Kit, l'héroïne de *Cache-cache amoureux* (n° 1482), ce sont ses propres réticences qu'elle devra surmonter... En effet, un quiproquo la poussera dans les bras de Ryan, qu'elle a trouvé, au premier abord, fort antipathique. Et, comble de malheur, pour ne pas trahir le secret de son amie Lindsay, elle devra faire semblant d'être son épouse...

Mais n'allons pas trop vite... Avant le mariage, il y a la rencontre, et nombreuses sont celles qui rêvent de tomber amoureuses *Au tout premier regard* (n° 1483). C'est ce qui arrive à Clara, et ce dans des circonstances dramatiques, lesquelles lui permettront cependant de faire une bien agréable découverte...

Des découvertes inattendues, les héroïnes de *Marilee et le hors-la-loi* (n° 1481), et de *Vocation : papa* (n° 1484), en feront elles aussi, et leur vie en sera bouleversée...

Bonne lecture et à très bientôt...

La Responsable de collection

L'artisan du bonheur

BETTY JANE SANDERS

L'artisan du bonheur

COLLECTION HORIZON

Cet ouvrage a été publié en langue anglaise sous le titre :
HIS SECRET SON

Traduction française de
CHRISTINE DERMANIAN

Originally published by SILHOUETTE BOOKS,
division of Harlequin Enterprises Ltd.
Toronto, Canada

83-85, boulevard Vincent-Auriol, 75013 Paris — Tél. : 01 42 16 63 63
ISBN 2-280-13877-8 — ISSN 0993-4456

1.

Debout sur la terrasse de sa maison, dans la même posture que celle qu'il adoptait sur le pont de son bateau, Matt croisa les bras sur sa poitrine pour se protéger du vent froid qui s'engouffrait dans sa chemise en laine. L'air humide était empreint de senteurs marines.

Il était seul. Comme cette pensée indésirable lui traversait l'esprit, il fronça les sourcils et s'agrippa à la balustrade, s'efforçant de concentrer toute son attention sur la merveilleuse odeur de terre mouillée qui flottait tout autour de lui.

Le printemps ! Matt huma avec délices le parfum si particulier de cette saison. Du regard, il caressa la nature en fête en dépit de ce temps froid et gris. Une rafale plus forte que les précédentes secoua les branches des arbres, et quelques feuilles d'un beau vert tendre tourbillonnèrent au vent.

Il entendit des cris au-dessus de lui et leva la tête. Un vol d'oies sauvages traversa le ciel de plomb en direction d'une colline toute proche. Elles s'installeraient là durant l'été pour y faire leur nid, s'accoupler et élever leurs petits.

Un sentiment de solitude s'empara de Matt, d'une intensité telle qu'il en fut saisi. En guise de protestation, il lâcha un juron.

La solitude n'était pourtant rien de nouveau pour lui, se

dit-il, soudain furieux. N'avait-il pas toujours été seul, avant même de fêter ses seize ans, âge auquel il avait tout quitté pour venir tenter l'aventure en Alaska?

Cet endroit lui convenait. Il avait trouvé ce qu'il cherchait. Alors, où était le problème?

Il n'y avait *aucun* problème. Il avait simplement hâte de reprendre la mer, une impatience compréhensible à cette époque de l'année.

Ses yeux se posèrent sur le bras de Valdez, situé à environ cent cinquante mètres en contrebas. Le vent soulevait la surface gris ardoise de l'eau, parsemée de crêtes blanches. Une eau toujours mouvante, agitée. Comme si elle l'attendait, songea-t-il avec un sourire. Attendait de se mesurer à lui en ce combat qu'ils se livraient si fréquemment. L'océan essayait de retenir ce qu'il voulait lui arracher, ces saumons qui faisaient la célébrité de l'Alaska. Jusque-là, il était sorti vainqueur de presque toutes les batailles.

Une autre saison de pêche commencerait bientôt, avec son lot de journées éreintantes. Il aimait ce travail physique, honnête et dur. Une bouffée d'énergie le submergea. Bientôt, très bientôt, il pourrait laisser libre cours à toute cette énergie qui bouillonnait en lui.

Allongée à ses pieds, Shadow s'étira. Matt lâcha la balustrade et, d'un geste machinal, caressa la chienne. L'animal poussa un grognement de satisfaction et se frotta contre les jambes de son maître.

Une rafale de vent particulièrement forte lui aplatit les oreilles, et les premières gouttes d'une pluie glacée s'abattirent sur eux. Matt quitta la terrasse, la chienne sur ses talons. Il contourna la maison, y entra, et suspendit à la patère sa veste déjà trempée. Le profond silence qui régnait à l'intérieur lui parut oppressant. Il haussa les épaules et se dirigea vers la cuisine, où il remplit de croquettes l'écuelle de Shadow.

La pluie tombait sur le toit de métal, imitant le bruit

d'un roulement de tambour. Le vent soufflait dans les arbres, s'infiltrait sous la porte. Il avait l'impression que la maison tout entière vibrait. C'était un temps à ne pas mettre le nez dehors, et encore moins à prendre la mer.

Matt fit un feu dans la cheminée, écouta le dernier C.D. de Bruce Springsteen, qu'il avait acheté lors d'un récent voyage à Anchorage, et feuilleta des journaux. Le temps s'écoula ainsi, lentement, et à une heure assez avancée de la nuit, il quitta le salon pour rejoindre sa chambre, où il se déshabilla et se glissa sous les couvertures.

Quelques instants plus tard, il entendait les griffes de Shadow sur le parquet. La chienne entra à son tour dans la chambre, se mit en boule sur la couverture qui lui était réservée et s'endormit. Les légers ronflements de l'animal ne furent pas longs à résonner dans la pièce, accompagnant les grondements de l'orage.

Etait-ce donc là tout ce qui remplissait sa vie ? Oui. Et cela lui suffisait.

Il roula sur le côté et s'endormit à son tour.

— J'aime pas cet endroit !

Nathan avança les lèvres en une moue boudeuse tandis qu'ils s'arrêtaient devant l'édifice.

— Tu n'y resteras pas longtemps. Deux heures tout au plus.

Amy tendit la main et ébouriffa les fins cheveux blonds du garçonnet.

— Nous en avons déjà discuté, et tu m'as dit que tu étais d'accord. J'ai une course à faire, Nathan.

L'enfant se rembrunit davantage encore.

— Mais pourquoi je peux pas venir avec toi ? Je serai sage, promis.

— Parce que tu ne peux pas, c'est tout ! Les choses que je dois faire sont réservées aux adultes.

Amy soupira et regarda l'adorable petit visage qui, en ce moment même, n'exprimait que colère et mécontentement.

— Allons, s'il te plaît...

— Mais les garderies, c'est pour les bébés ! protesta-t-il, indigné qu'on ose infliger un traitement pareil au grand garçon de six ans qu'il était.

— Tu te trompes. Bon nombre de parents travaillent, et il y aura là d'autres enfants de ton âge. Viens, tu verras.

Elle accompagna ces propos d'un sourire confiant.

Amy n'avait aucune envie de laisser Nathan dans une garderie qu'elle ne connaissait pas, alors qu'ils venaient tout juste d'arriver à Valdez, mais il était hors de question qu'elle le lui avoue. Comme il était encore plus impensable qu'il l'accompagne, elle le prit par la main et se dirigea vers l'entrée de l'établissement.

Elle se sentit infiniment soulagée lorsqu'elle aperçut, au fond de la grande salle, plusieurs enfants de l'âge de Nathan qui s'amusaient ensemble. Après avoir rempli un formulaire, elle le suivit du regard tandis qu'il se dirigeait vers l'aire de jeux située dans le jardin. L'« abandonner » lui brisait le cœur, mais elle n'avait pas le choix.

La tâche qui l'attendait serait déjà bien assez éprouvante sans qu'elle doive, en plus, veiller sur le garçonnet.

L'estomac noué, elle se dirigea vers le port.

« Tu aurais dû téléphoner », souffla en elle une petite voix. « Impossible », répliqua-t-elle en silence. « Dans ce cas, écrire, au moins ! » Non. Il fallait qu'elle agisse ainsi. Il *lui* aurait été trop facile d'ignorer un courrier ou un coup de téléphone. « J'espère que tu sais ce que tu fais. Si ça se trouve, il ne sera même pas là... »

— Si, il y sera ! murmura-t-elle d'un ton résolu en se garant.

Une atmosphère d'excitation régnait sur le port. Les gens allaient et venaient, affairés, sur la jetée. Certains souriaient à la jeune femme, d'autres lui lançaient un regard curieux. Des embarcations de toutes sortes et de toutes tailles étaient ancrées là.

Amy avançait lentement, lisant les noms de ces bateaux peints sur la coque. Elle passa devant le « Petite Madame II », le « Drôle de Monde », le « Globe-Trotter »... Où était donc le « Qui ne risque rien... » ?

Et si elle le trouvait, Matt serait-il à bord ? Que lui dirait-elle alors ?

La jeune femme frissonna et remonta le col de sa veste. Une brise fraîche, chargée d'embruns, s'engouffra dans ses cheveux blonds coupés court. Le soleil jouait à cache-cache avec les nuages, et le cri des mouettes résonnait au-dessus d'elle. Un corbeau juché sur la balustrade du quai pencha la tête de côté et posa sur elle ses petits yeux perçants. On aurait cru qu'il s'interrogeait sur la raison de sa présence en ce lieu. A en juger par certains regards, il n'était d'ailleurs pas le seul.

Plusieurs rangées de quais voisinaient avec la jetée principale. L'un des employés du port, qu'elle avait interrogé, lui avait dit que chaque quai était désigné par une lettre, et que chaque emplacement portait un numéro.

Le « Qui ne risque rien... » se trouvait sur le quai B, emplacement 12.

Comme elle marchait dans cette direction, Amy sentit son cœur cogner dans sa poitrine. Elle repéra enfin le nom qu'elle cherchait et serra les poings. Le bateau paraissait vieux, fatigué, et aurait eu bien besoin d'un coup de peinture.

Un gros chien au poil gris était allongé sur le pont. Il leva la tête à son approche et lui jeta un regard peu accueillant. Un homme se tenait à côté de l'animal, accroupi. Il était de dos, et elle ne pouvait voir que sa large carrure dans un épais chandail en laine chinée grise.

Amy s'éclaircit la voix et le chien émit un grognement sourd.

— Shadow !

Ce rappel à l'ordre eut sur l'animal un effet immédiat. L'homme se redressa lentement et se tourna vers Amy.

Les mots que la jeune femme s'apprêtait à prononcer s'étranglèrent aussitôt dans sa gorge. Les yeux écarquillés, elle contempla la longue silhouette qui venait de se dresser devant elle. Vêtu d'un jean délavé et d'un gros pull, l'inconnu possédait une sorte de beauté sauvage qui la laissa sans souffle. Il était grand, bien bâti, avec des traits rudes et d'épais cheveux bruns, un peu trop longs. Cet homme était sans nul doute originaire de l'Alaska, songea-t-elle aussitôt. L'imaginer en costume, vivant dans l'espace confiné d'un appartement, relevait de l'impossible. Fascinée, Amy ne parvenait pas à détacher le regard de cet homme superbe.

— Oui ? fit-il, brisant le silence. Vous cherchez quelque chose ou quelqu'un ?

Elle tressaillit, comme prise en faute, et sentit ses joues s'empourprer.

— Hmm... je cherche Matt Gray.

Il plongea les mains dans les poches de son jean et laissa son regard de braise la détailler lentement. Un regard si intense qu'elle eut l'impression qu'il la déshabillait, et fut tentée de s'enfuir.

S'armant de courage, elle releva toutefois le menton et le fixa.

— Il faut que je lui parle. Si vous voulez bien me dire où le trouver, je ne vous dérangerai plus.

Il hésita, puis, avec un haussement d'épaules, déclara :

— Vous l'avez en face de vous.

Amy cligna des paupières. Impossible. Cet homme ne pouvait pas être le mari de Sabrina. Sa sœur n'aurait jamais choisi un être aussi... brut.

Déroutée, elle avala sa salive et le dévisagea.

— Je suis Amy Sutherland, dit-elle enfin. La sœur de Sabrina.

Un sourcil levé, il l'examina attentivement avant de prononcer ces mots, qu'elle avait si souvent entendus :

— Vous ne lui ressemblez pas !

— Je le sais.

On l'avait toujours comparée à Sabrina, dont la beauté exotique et mystérieuse fascinait tout le monde. C'était là quelque chose qu'elle avait accepté depuis longtemps, et qui ne la blessait plus.

Matt croisa ses bras musclés sur sa poitrine.

— Soit. Et que veut-elle maintenant ? J'ai du mal à croire qu'après tout ce temps, elle ait changé d'avis et décidé de revenir vers moi ! Si elle a un problème, dites-lui qu'elle peut s'adresser à quelqu'un d'autre.

Surprise par la froideur de ces propos, Amy passa la langue sur ses lèvres sèches.

— Rassurez-vous, elle n'attend rien de vous, répliqua-t-elle d'une voix blanche. Elle est morte à la suite d'un accident de voiture l'hiver dernier.

La satisfaction qu'elle avait éprouvée en annonçant à cet homme la terrible nouvelle se dissipa lorsqu'elle le vit blêmir.

— Ecoutez, je suis désolée... J'aurais dû vous apprendre cela avec plus de ménagements. Vous appeler, sans doute..., mais, dans la mesure où vous n'aviez plus aucun contact avec elle, nous avons pensé... Je suis désolée, répéta-t-elle, sincère.

Elle s'en voulait en effet de s'être montrée aussi brutale. Cet individu semblait peut-être avoir un cœur de pierre, mais elle avait décelé du chagrin dans son regard.

— Montez à bord, fit-il en lui tendant une main calleuse.

Cette main était à la fois ferme et avenante, et, l'espace d'un instant, elle fut tentée de s'y agripper, ne serait-ce que pour se donner du courage. Mais dès qu'elle fut au côté de Matt, elle s'écarta, impressionnée par sa taille. Il la dépassait d'une bonne tête, et en sa présence elle se sentait minuscule, fragile. Matt, qui avait perçu sa gêne, la guida aussitôt vers la cabine.

Les odeurs de poisson et de gasoil l'assaillirent dès qu'elle en eut franchi le seuil, et elle fronça le nez. Il l'invita à s'asseoir sur la banquette qui entourait la table. L'animal ne fut pas long à les rejoindre. Il s'arrêta en face de la jeune femme et la fixa de ses grands yeux dorés.

— Elle s'appelle Shadow, déclara Matt. Laissez-lui le temps de faire votre connaissance. Ensuite elle vous ignorera. Elle est gentille, mais un peu timide au début.

Comme Amy tendait la main vers l'animal, celui-ci approcha et elle sentit sur sa paume le contact de sa truffe froide et humide. Apparemment satisfaite de cette inspection, la chienne bâilla puis s'éloigna et s'allongea aux pieds de son maître.

— Café ?

Matt posa deux tasses sur la petite table, et attendit que la jeune femme eût acquiescé pour la servir. Il avait des mains solides, carrées. Des mains de travailleur.

Comme elle contemplait la fumée qui s'élevait des tasses, une embarcation passa non loin de là et le « Qui ne risque rien... » s'agita légèrement.

— Sabrina..., dit Matt en s'asseyant en face de la jeune femme.

Ce nom, prononcé d'une voix grave, profonde, résonna dans la cabine.

— Elle débordait de vitalité. Difficile d'imaginer qu'elle ne soit plus de ce monde...

Il secoua la tête et soupira, l'air peiné.

— Que s'est-il passé ?

Matt n'avait pas sitôt prononcé ces mots qu'il parut les regretter.

Touchée par la tristesse qu'elle venait de percevoir sur ses traits, Amy éprouva un brusque désir de le consoler. Elle n'était cependant pas sûre qu'il aurait apprécié une telle manifestation de sympathie. Entourant la tasse de ses mains, elle but une gorgée de café et se plongea dans ses souvenirs.

— Quand elle est revenue à Seattle, Sabrina a terminé ses études d'infirmière, déclara-t-elle, l'œil rivé sur sa tasse. Elle travaillait à l'hôpital depuis quelques mois lorsqu'elle a rencontré Eric. Il était étudiant en médecine. Ils n'ont pas tardé à tomber amoureux l'un de l'autre et à se fiancer.

La jeune femme ne fit aucune allusion à Nathan. Elle voulait que ce soit Matt qui lui pose des questions sur son fils. Qu'il lui montre ainsi que cet enfant ne lui était pas indifférent. Mais il garda le silence, et elle se mordit la lèvre.

— Eric finissait son internat, poursuivit-elle d'une voix mal assurée. Ils faisaient tous deux partie de l'équipe de nuit, ce soir-là, lorsque, chose exceptionnelle à Seattle, une tempête de neige s'est abattue sur la ville. Les routes étaient toutes verglacées.

Elle dut marquer une pause et inspirer avant de poursuivre :

— Ils ont été appelés pour une urgence et sont partis. Le conducteur qui roulait devant eux a soudain perdu le contrôle de son véhicule. Ils l'ont percuté, et le semi-remorque qui les suivait n'a pas pu freiner. L'officier de police qui s'est aussitôt rendu sur les lieux a déclaré qu'ils avaient tous deux été tués sur le coup. Je suppose que ça devrait être une consolation..., finit-elle, la gorge nouée.

Matt toussota.

— Je suis désolé, fit-il d'une voix rauque.

La jeune femme fouilla son visage, mais celui-ci était redevenu impassible. Pas la moindre trace de chagrin ou même d'émotion. Il but une gorgée de café, reposa la tasse et fixa son interlocutrice.

— J'imagine que vous n'avez pas parcouru tout ce chemin dans le seul but de m'annoncer le décès de Sabrina... ?

— En effet.

Sous ce regard appuyé, Amy se sentit vaciller. Pour la énième fois, elle se demanda pourquoi elle n'avait pas insisté auprès de Sabrina pour qu'elle lui en dise plus long sur cet homme. En proie au doute et à l'appréhension, elle s'aperçut avec horreur qu'elle était incapable de proférer la moindre syllabe.

— Hé ! lança-t-il avec un sourire tendu. Rassurez-vous, je ne mords pas !

Tandis qu'il se baissait pour caresser la tête de Shadow, elle finit sa tasse de café d'un trait, essayant d'y puiser le courage qui lui manquait. Elle avait l'impression que les parois de la cabine se resserraient autour d'elle. Si seulement Matt n'avait pas été aussi grand, aussi attirant...

Les gens continuaient à déambuler sur le quai. Leurs voix, murmures indistincts, arrivaient jusqu'à eux.

— Je ne sais trop par où commencer..., admit-elle.

Matt regarda au-dehors.

— Pourquoi ne pas m'expliquer tout simplement le motif de votre visite ?

Les mots qu'elle s'était maintes fois répétés au cours de ce long trajet depuis Seattle avaient déserté son esprit. Devait-elle d'abord lui parler de Nathan, ou du bateau ? Quel était le sujet le plus facile à aborder ? Le bateau, décida-t-elle à la hâte. Du moins était-elle sûre de ne pas trop s'énerver en débattant de choses matérielles.

Elle ouvrit son sac et tendit à Matt un document aux pages cornées. Tandis qu'il l'examinait en silence, elle garda les yeux rivés sur lui. Ce qu'il lisait en ce moment, elle l'avait elle-même lu une bonne dizaine de fois après avoir découvert cette enveloppe dans les papiers de Sabrina. Il y était stipulé que le « Qui ne risque rien... » avait deux propriétaires : Matt et Sabrina.

— Eh bien ? hasarda-t-elle enfin, tandis que le silence se faisait dense dans la cabine.

Il releva la tête, lui remit le document et se tourna de nouveau vers la fenêtre.

A en juger par sa réaction, il s'attendait visiblement à quelque chose de ce genre depuis le jour où son divorce avec Sabrina avait été prononcé. Il aurait pu à ce moment-là lui racheter sa part, lui donner de l'argent, l'aider. Mais il ne l'avait pas fait. Il l'avait laissée se débrouiller seule, alors qu'elle avait un enfant — son enfant à lui ! — à charge.

Les mâchoires serrées, Amy tenta d'ignorer la bouffée de rage qui montait en elle. Elle n'avait aucun pouvoir sur le passé. Il fallait qu'elle se préoccupe uniquement de l'avenir.

— J'ai pensé que vous souhaiteriez racheter ses parts. C'est moi qui suis son exécuteur testamentaire, ajouta-t-elle, comme il restait muré dans le silence, le visage sombre.

En cet instant, il semblait si seul qu'elle eut presque envie de le prendre par la main pour lui apporter un peu de réconfort.

— Il est hors de question que je rachète quoi que ce soit, décréta-t-il d'un ton sec.

Tout désir de le consoler abandonna la jeune femme.

— Ah ? Et pourquoi ?

— Parce que ce bateau m'appartient ! rétorqua-t-il, insistant sur le dernier mot.

Elle aurait juré que la cabine devenait de plus en plus exiguë.

— Ce n'est pas ce qui est inscrit sur ce document...

— Je me moque éperdument de ce qui est inscrit sur ce document ! rugit-il. Qui a travaillé comme un forcené douze heures par jour, sept jours sur sept, sur un derrick au nord de Prudhoe Bay, pour acheter le « Qui ne risque rien... » ? Qui a aussi acheté le permis de pêche ? Qui est sorti en mer, a vendu le produit de sa pêche, s'est fait un nom ? Sûrement pas votre sœur ! De plus, il était question qu'elle me cède sa part au moment du divorce.

Les coudes sur la table, il se pencha vers Amy.

— Je ne vous dois pas un sou ! reprit-il d'une voix dure. Ni à Sabrina ni à vous. *Rien*, vous m'entendez ? Cette erreur qu'on appelle le mariage m'a déjà coûté bien assez cher.

La fureur qui se dégageait de tout son être laissa Amy abasourdie. Les questions fusaient dans son esprit, tandis qu'elle se répétait les mots qu'elle venait d'entendre. Sabrina avait-elle réellement renoncé à sa part ? Devait-elle, elle, accepter cette version des faits et baisser les bras ? Impossible. Que les propos de Matt fussent fondés ou pas, il fallait qu'elle défende les intérêts de sa sœur. Pendant un temps, du moins. Pour Nathan.

Elle serra les lèvres afin de contenir le cri de frustration qui montait en elle. Avant cette rencontre, elle avait imaginé bien des situations, mais pas celle-ci.

— Possédez-vous un document prouvant que ce que vous alléguez est vrai ? s'enquit-elle avec un soupir.

Matt parut ignorer sa question pendant les secondes qui suivirent. Puis, l'œil luisant de colère, il secoua la tête. A ce moment-là, Amy sentit l'espoir renaître en elle. Tout n'était donc pas perdu.

— Nous pourrions sans doute essayer de trouver un compromis. Je cherche seulement à...

Elle s'interrompit et se mordilla la lèvre inférieure.

— Quelqu'un voudrait peut-être racheter la part de Sabrina ?

Cette suggestion fut saluée par un rire sarcastique.

— Vous êtes bien pareilles, votre sœur et vous ! « Je veux. J'ai besoin de... Aidez-moi. » *Moi, moi, moi* ! Vous battez des cils et vous attendez que les choses se fassent ! J'ai commis une erreur en épousant Sabrina, mais tout est terminé maintenant. C'est de ma vie dont il s'agit. Ma vie, vous entendez ? Et je n'ai aucune envie d'avoir un associé !

— Dans ce cas, je me verrai dans l'obligation de faire appel à un avocat...

— Allez-y, ne vous gênez surtout pas! Mais sachez que je me battrai jusqu'au bout, et que je gagnerai!

La jeune femme serra la tasse dans sa main droite, prise d'un violent désir de la lancer à la tête de cet interlocuteur borné.

— Ce ne sont pas mes intérêts ni ceux de Sabrina que je défends! explosa-t-elle. Si l'avenir de Nathan n'était pas en jeu, je ne vous demanderais pas un seul centime!

Les joues écarlates, elle le foudroya du regard.

— Bon sang, vous n'éprouvez donc rien, pas même de la curiosité, pour votre fils?

Elle vit ses yeux se rétrécir, jusqu'à n'être plus que deux fentes.

— Ne parlez donc pas de ce que vous ignorez! rétorqua-t-il d'un ton tranchant.

— C'est de *vous* que je parle. Et aussi de votre fils, Nathan. A moins que vous ayez oublié jusqu'à son existence? Personnellement, je n'oserais pas me regarder dans la glace si j'avais un fils de six ans que je n'ai jamais vu!

Les traits de Matt se durcirent davantage encore.

— Je n'ai pas de fils!

Il repoussa sa tasse vide d'un geste si vif qu'elle tomba sur la table. Amy le fixait, sidérée.

— Comment pouvez-vous affirmer une chose pareille? Quand Sabrina est rentrée à la maison, elle était déjà enceinte de quatre mois! Vous étiez mariés, vous vous en souvenez, n'est-ce pas? J'ai peine à croire que vous soyez capable de renier votre propre fils!

Il la réduisit au silence d'un simple regard.

— Qu'est-ce qui vous permet d'affirmer qu'il est bien de moi?

Elle serra les poings.

— Décidément, vous ne reculez devant aucune bassesse! Il vous suffirait de lire le certificat de naissance pour constater que ce que je dis est vrai. Les dates concordent, et votre nom y est inscrit à la rubrique « père ». Je ne pense pas que ma sœur ait été mariée à un autre Matthew Allen Gray que vous !

Il se raidit et répliqua du plus calmement qu'il put :

— Nous étions en effet mariés et elle était peut-être enceinte quand elle est partie, mais je n'ai pas de fils.

Il se pencha vers elle, comme si la proximité pouvait donner plus de poids à ses paroles.

— Votre sœur avait une aventure, comme on dit, quand elle a quitté Valdez. Si vous tenez absolument à connaître le père de ce gamin, vous devriez plutôt vous lancer à la recherche de Derek Anderson.

2.

Matt se surprit à éprouver de la pitié pour cette femme qui le fixait, livide, ses grands yeux bleus écarquillés. Elle ouvrit la bouche, comme si elle s'apprêtait à parler, puis la referma et secoua la tête.

Il maudit intérieurement Sabrina. De vieilles blessures, des souvenirs qu'il croyait à jamais enfouis, resurgirent avec une force dévastatrice.

— Je... ne vous crois pas, chuchota Amy.

— Vous avez tort. S'il y a un point sur lequel nous avons toujours été d'accord au cours de notre bref mariage, c'étaient les enfants. Nous n'en voulions pas, ni l'un ni l'autre.

Comme la jeune femme affichait un air stupéfait, il ajouta :

— Imaginer que tous les couples ont envie de procréer serait une erreur.

Il s'était exprimé d'une voix froide, dénuée d'émotion.

— Je le sais, répliqua-t-elle doucement. Mais...

Elle hésita, posa le menton sur ses mains, puis reprit, d'un ton toujours très bas :

— Elle a sans doute dit qu'elle ne voulait pas d'enfants, et elle avait peut-être une aventure avec ce Derek, mais... si vous n'êtes pas le père de ce gamin, pourquoi aurait-elle inscrit votre nom sur le certificat de naissance ?

— Je me le demande aussi !

Matt contempla les traits fins et délicats de la jeune femme, et ne put s'empêcher de la comparer aux porcelaines anciennes que collectionnait sa mère. Jamais il n'aurait deviné qu'elle était la sœur de Sabrina. Elles se ressemblaient si peu. L'une grande, voluptueuse, belle comme une fleur exotique, l'autre menue, pâle, fragile, et néanmoins très jolie. Elles n'avaient qu'un point commun : d'immenses yeux d'un bleu profond.

En regardant ceux d'Amy, embués de larmes, il se rappela soudain le visage de Sabrina, en pleurs, tandis qu'elle s'agrippait à sa chemise.

— Mais ce n'est pas mon problème ! ajouta-t-il d'un ton cassant, soudain pressé de la voir disparaître.

Sabrina appartenait désormais au passé, et il était hors de question qu'il se laisse de nouveau séduire par une femme en détresse.

— Désolé, reprit-il avec un soupir, regrettant de s'être exprimé de façon si dure.

Amy secoua la tête sans mot dire. Le soleil, qui venait de triompher des nuages, emplit soudain la cabine. Insensible à ce changement, la jeune femme gardait un air abattu. Elle paraissait perdue, sans défense.

— Hé, ressaisissez-vous ! fit-il, radouci. Que se passe-t-il ? Vous avez des ennuis d'argent ?

Elle leva les yeux vers lui mais ne répondit pas.

— Vous êtes venue de Seattle en voiture ou en avion ?

— En voiture, murmura-t-elle.

Matt s'agita sur son siège. Comment résister à ce petit être sans défense ?

— Je peux vous donner deux cents dollars. De quoi rentrer chez vous...

Incapable de supporter plus longtemps ce spectacle, il reporta son attention sur la fenêtre. Un silence pesant, inconfortable, s'installa entre eux. Lorsqu'il se tourna de nouveau vers Amy, elle le regardait toujours.

— Nathan a les yeux noirs.

Il se raidit.

— C'est une caractéristique des plus banales ! Est-ce qu'il me ressemble ?

Une minute s'écoula, et il crut que la jeune femme ne lui répondrait pas. Puis elle fit non de la tête.

— Vous voyez bien !

— Il ne ressemble pas non plus à Sabrina, ajouta-t-elle doucement, tout en traçant de l'index des petits signes sur la table. En fait, les gens croient souvent qu'il est mon fils.

Comme il ne trouvait rien à répondre qui n'eût été blessant, il préféra se taire. Sabrina aurait pu dire toute la vérité à sa famille, au lieu de le laisser assumer cette pénible tâche.

Qui sait ? Elle l'avait peut-être fait. Amy ne cherchait peut-être qu'à lui soutirer de l'argent.

— Ecoutez, reprit la jeune femme, Sabrina était certes... assez égoïste. Elle avait coutume de n'en faire qu'à sa tête, sans penser aux autres, mais elle ne m'a jamais menti.

— Que vous a-t-elle dit, au juste, de moi ?

— Pas grand-chose. Quand elle n'avait pas envie d'aborder un sujet, elle se taisait.

Elle ponctua cette remarque d'un haussement d'épaules éloquent.

— Mais encore ? insista Matt.

— Je suis persuadée que Nathan est votre fils. Sabrina l'a affirmé à plusieurs reprises, et en outre, c'est votre nom qui apparaît sur le certificat...

— Ce gosse n'est pas de moi, bon sang ! coupa-t-il en assénant un grand coup de poing sur la table.

Surprise, Amy sursauta.

— Je n'ai pas de fils ! reprit-il en détachant chaque syllabe. Et je vous mets au défi de me prouver le contraire !

— Ma sœur ne m'aurait jamais menti sur une question aussi importante.

Elle parlait d'un ton calme mais ferme.

— Vous vous trompez.

— Non.

— Quand elle a décidé de divorcer, Sabrina m'a dit qu'elle n'était pas enceinte de moi.

La jeune femme parut choquée et cligna à plusieurs reprises des paupières. Soit Sabrina avait berné sa famille, soit Amy était une excellente comédienne.

Il la vit passer lentement la langue sur ses lèvres, puis plisser les yeux.

— Elle vous a menti, déclara-t-elle sans sourciller.

Matt lâcha un petit rire.

— Allons, pourquoi m'aurait-elle menti ?

— Je l'ignore... Elle craignait peut-être que vous n'acceptiez pas de la laisser partir, de divorcer, si elle vous avouait toute la vérité.

Sur le point de rétorquer, il se ravisa. La jeune femme venait de toucher un point sensible.

— C'est impossible, déclara-t-il enfin. Elle me l'aurait dit. Ne serait-ce que pour percevoir une pension alimentaire.

— Elle n'en avait pas besoin. Elle se doutait bien que nous l'aiderions. De plus, elle était orgueilleuse.

Leurs regards restèrent soudés pendant les instants qui suivirent.

— Si vous faisiez un test de paternité, nous en aurions le cœur net.

— Et puis quoi encore ? lança-t-il avec humeur. Dans la mesure où je suis certain de ce que j'avance, je ne vois pas pourquoi je gaspillerais du temps et de l'argent dans le simple but d'avoir confirmation de ce que je sais déjà !

Mais Amy continuait à le dévisager, et tandis que les secondes s'écoulaient, il sentit la colère le gagner de nouveau. Pourquoi diable se refusait-elle à admettre sa version des faits ? Il avait hâte de la voir partir.

— Je suis prête à assumer les frais de ce test.

Matt serra les mâchoires pour résister au violent désir de hurler. Il commençait à regretter de s'être levé ce matin-là.

— Ecoutez, articula-t-il, s'efforçant de ne surtout pas perdre son calme. Qu'attendez-vous de moi ? Si c'est de l'argent, autant vous prévenir tout de suite : vous n'aurez rien. Cette affaire ne me concerne pas. Je me tue à vous dire que *je n'ai pas de fils* ! De plus, quand bien même ce gosse serait le mien, ce qui n'est pas le cas, je ferais un père exécrable.

Pendant la minute qui suivit, ils continuèrent à échanger des regards hostiles. Puis Amy baissa la tête et se remit à tracer du bout des doigts des dessins sur la table. Matt ne pouvait s'empêcher de se demander ce qu'elle pensait.

Et si ce gamin était le tien ? songea-t-il soudain.

Le doute qui venait de s'insinuer en lui l'ébranla. Il réussit toutefois à recouvrer rapidement son sang-froid et fixa de nouveau la jeune femme. Un rayon de soleil jouait dans ses cheveux dorés, caressait son profil parfait. Ses lèvres paraissaient si douces, si tentantes... Elle semblait fascinée par le tracé imaginaire de ses doigts. Matt avala sa salive.

Il existait sûrement un moyen de la convaincre que ce Nathan n'était pas son fils. Cette fois, il était hors de question qu'il écope des problèmes d'autrui. Cette erreur, il l'avait commise avec Sabrina, et le moins qu'on pût dire est qu'il n'en avait récolté que des désagréments. On ne l'y reprendrait pas.

— Ce n'est pas l'argent qui m'intéresse, déclara-t-elle alors. Bien que, je ne vous le cache pas, l'aspect financier a également motivé ma démarche. J'espérais que vous accepteriez de verser une sorte de pension, même si vous n'avez jusque-là jamais envoyé un seul centime à Sabrina. Je comprends mieux pourquoi, maintenant... J'envisageais de placer sur un compte bancaire au nom de Nathan la somme correspondant à la part de Sabrina. Elle aurait servi à payer ses études, plus tard, ou à faire face à une quelconque urgence.

Matt haussa un sourcil. Il se contint pour ne pas éclater

de rire. Si Amy ressemblait un tant soit peu à sa sœur, ce pécule serait dilapidé bien avant que le gamin ne soit en âge de s'inscrire en faculté. Et jusque-là, rien ne l'incitait à croire qu'Amy était différente de Sabrina.

Il s'enjoignit néanmoins à ravaler les propos cyniques qui avaient germé dans son esprit. A quoi bon, puisqu'il ne lui remettrait pas un sou, excepté les deux cents dollars qu'il lui avait proposés un peu plus tôt ?

— Si j'ai parcouru ce long chemin, reprit-elle, c'est surtout pour trouver un père à Nathan.

Comme il s'apprêtait à protester, elle leva la main pour l'interrompre.

— Je sais, vous niez tout lien de parenté avec cet enfant. J'avoue que je n'avais pas envisagé cette hypothèse quand j'ai décidé d'entreprendre avec Nathan ce voyage en Alaska...

Matt sentit le sang se glacer dans ses veines.

— Il... est ici ?

— Je l'ai laissé dans une garderie, ce qui ne lui a pas beaucoup plu. Je suppose que vous n'avez aucune envie de le connaître ? s'enquit-elle, l'œil néanmoins luisant d'espoir.

— Vous supposez bien ! Que lui diriez-vous ? « Nathan, je te présente Matt. Le type avec lequel ta mère a été mariée quelque temps, il y a de cela des années. Je croyais qu'il était ton père, mais il semblerait que je me sois trompée. » Je n'ai en effet pas la moindre envie de le connaître. Et je ne vois d'ailleurs pas très bien en quoi ça pourrait nous avancer !

Sitôt ces mots prononcés, Matt se demanda quelle allure devait avoir ce garçon. Mais il ne fut pas long à se reprocher ce moment de faiblesse.

— Vous vous trompez, ce n'est pas du tout de cette façon que je procéderais.

Elle prit une profonde inspiration, puis se leva et se plaça en face de Matt.

— Je lui dirais : « Nathan, je te présente ton père ».

— Mais certainement !

— C'est ce que je lui dirais, parce que c'est ce que je pense ! insista-t-elle, soudain enflammée. Légalement, c'est la vérité. Et il faut que vous appreniez à l'accepter.

Matt s'apprêtait à se lever à son tour quand elle lui posa l'index sur la poitrine, l'incitant ainsi à ne pas bouger.

— Je regrette que Sabrina vous ait menti au sujet de Nathan — car elle vous a menti ! Je regrette aussi que votre union se soit soldée par un échec. Je connais assez Sabrina pour ne pas vous en rendre entièrement responsable, mais il n'en reste pas moins que vous êtes le père de cet enfant. Vous avez une responsabilité morale envers lui.

Il tenta d'écarter la main de la jeune femme.

— Vous voulez bien arrêter de me marteler la poitrine, je vous prie ? Ça fait mal !

— Et alors ? rétorqua-t-elle, pointant maintenant l'index devant son nez. La vie aussi fait mal ! Les choses ne se passent pas toujours comme on l'aurait voulu. C'est déjà bien assez grave que Nathan ait perdu sa mère et qu'il n'ait jusqu'ici jamais rencontré son père. Je ne quitterai pas Valdez sans vous l'avoir présenté, ni sans que vous vous soyez engagé à faire partie de sa vie et à lui allouer une certaine somme mensuelle. Si c'était possible, je me passerais volontiers de votre aide, mais ce n'est pas le cas. Je suis la tutrice légale de cet enfant. J'ai besoin d'un soutien, et Matt a besoin d'un père. S'il le fallait, j'irais jusqu'en enfer pour donner à mon neveu toutes les chances qu'il mérite.

— Eh bien allez-y, et surtout restez-y ! Je ne sais pas pour qui vous vous prenez, mais...

— Je me prends pour la personne responsable de la santé et du bien-être de ce précieux petit garçon, voilà ! Continuez à vous montrer imbuvable si ça vous chante, Matt Gray, mais vous devrez vous tenir correctement quand vous rencontrerez votre fils. Si vous prononcez le moindre mot susceptible de lui faire de la peine, je... vous regretterez de m'avoir connue, croyez-moi !

Il eut rire sardonique.

— Comme si je ne le regrettais déjà pas assez !

Amy grommela quelque chose d'inintelligible, puis tourna les talons et se dirigea vers la porte de la cabine. Sur le seuil, elle fit volte-face et le fusilla du regard.

— Je reviendrai. Accompagnée !

Elle disparut, laissant Matt abasourdi. Cette situation ressemblait à un cauchemar. Un vaudeville... dont il était le héros malgré lui.

Shadow s'étira et posa le museau sur ses genoux. Il l'ignora. Il avait déjà bien du mal à ne pas se lancer à la poursuite de la jeune femme pour lui faire jurer de quitter Valdez dans les plus brefs délais.

Son inébranlable conviction le mettait mal à l'aise. Peut-être, en effet, devrait-il se soumettre à un test de paternité ? Il réfléchit à cette éventualité, puis l'écarta. A quoi bon faire ce test, alors qu'il en connaissait déjà le résultat ? Sabrina n'aurait jamais porté l'enfant d'un homme qu'elle n'aimait pas. Si cette pensée lui était moins douloureuse qu'autrefois, elle lui égratignait néanmoins toujours un peu le cœur.

Nathan n'était pas son fils.

— Maudite Sabrina ! grommela-t-il. Et maudit Derek. Attends donc que je te croise sur mon chemin...

Au son de cette voix pleine de colère, la chienne gémit et se frotta contre sa jambe, comme si elle voulait lui apporter ainsi un peu de réconfort. Il se pencha vers elle et, d'un geste distrait, lui gratta la tête.

Il n'avait pas le choix. Il s'évertuerait à éviter Amy et le gamin jusqu'à ce que Derek revienne en ville et qu'il réussisse à le convaicnre de s'entretenir avec la sœur de Sabrina. A ce moment-là, il éprouva de la compassion pour la jeune femme. Lorsqu'elle aurait rencontré Derek, elle regretterait de s'être lancée à la recherche du père de Nathan.

— Je ne suis pas celui que vous cherchez ! s'écria-t-il dans la cabine vide. Laissez-moi en paix !

Regrettant cette conduite grotesque, il baissa les bras en soupirant.

Le cri d'une mouette retentit au-dehors, suivi par la conversation d'un couple qui se promenait sur le quai. Puis le silence se referma autour de lui.

Amy se réveilla tôt le lendemain matin. Nathan était allongé à côté d'elle. Sa petite tête blonde dépassait du duvet. Le soleil, qui ne s'était pas encore levé à Seattle, brillait au-dehors et filtrait à travers la toile de tente.

Elle fixa le toit affaissé et fronça les sourcils. Elle avait emprunté cette tente ainsi que tout le matériel de camping à une amie. La veille, il ne lui avait pas fallu moins d'une heure pour la monter. Or, il aurait suffi que le vent souffle un peu fort pour que tous ses efforts fussent réduits à néant. Elle s'estimait même heureuse que cette frêle « construction » ne se fût pas effondrée sur eux durant la nuit.

Le bout du nez gelé, elle se pelotonna dans son duvet. En Alaska, le printemps était bien différent de celui qu'elle connaissait à Seattle.

« Seigneur, que faire ? ». Cette question, elle n'avait cessé de se la poser depuis qu'elle avait quitté le « Qui ne risque rien... ». Elle n'avait pas assez d'argent pour engager un avocat. Si Sabrina avait réellement accepté de céder sa part à Matt au moment du divorce, elle était tenue de respecter sa volonté. Elle ne pouvait cependant pas lâcher la seule prise qu'elle avait sur cet homme, tant qu'ils n'auraient pas trouvé une sorte de compromis concernant Nathan.

La jeune femme se passa la main sur le front. Il lui était impossible d'obliger Matt à admettre que Nathan était bien son fils. Elle n'en avait d'ailleurs aucune envie. Le souvenir de sa colère et de la vigueur avec laquelle il avait protesté n'avait pour elle rien de rassurant. Vu sa taille, elle aurait du mal à le conduire de force jusqu'à l'hôpital le plus proche pour l'obliger à subir un test de paternité.

Pourtant, elle était certaine d'avoir raison. Sabrina avait menti à Matt, et elle devait tout mettre en œuvre pour le lui prouver. Mais comment... ?

Elle se remémora alors ses propos. Selon lui, ils avaient décidé d'un commun accord, Sabrina et lui, de ne pas avoir d'enfant. Elle réprima un soupir. Ne serait-il pas plus judicieux et prudent de repartir ? Qui sait, Nathan serait peut-être plus heureux s'il ne rencontrait jamais celui qui était son père.

Certes, il lui arrivait de poser des questions sur celui-ci. Et il atteindrait bientôt un âge où il deviendrait impossible de les éluder. Un jour ou l'autre, il faudrait bien lui dire la vérité : que son père ne voulait pas de lui et pensait qu'il était le fils d'un autre. Voilà qui ne manquerait pas de le combler de joie.

Matt changerait-il d'avis après avoir rencontré Nathan ? Parier là-dessus était risqué. Mais, d'un autre côté, avait-elle le choix ?

Un frisson qui n'était pas dû à la fraîcheur de l'air la parcourut. L'ex-mari de sa sœur s'était montré si froid, si distant. Elle se demanda dans quelles circonstances ils s'étaient connus, et ce qui l'avait attirée en lui. Il ressemblait si peu au genre d'homme qui lui avait toujours plu !

Superbe, la jeune femme avait toujours eu l'embarras du choix en matière de partenaires. Un choix qui s'était toujours porté sur des hommes élégants, raffinés, voire sophistiqués. Or, elle était certaine que Matt Gray n'avait pas un seul costume dans son armoire. Ses traits étaient trop rudes pour être qualifiés de beaux, mais il avait un charme indéniable.

Il semblait aussi plus âgé que cette malheureuse Sabrina. A en juger par ce qu'elle avait vu, il se rapprochait davantage de son âge à elle. Constatant une fois de plus qu'elle ignorait tout de cet homme, elle se reprocha de ne pas avoir posé à sa sœur plus de questions sur lui. Après tout, il était le père de Nathan. N'auraient-elles pas dû, sa mère, sa sœur et elle, nouer un contact avec lui, ne serait-ce que pour le bien du garçonnet?

Lorsque Nathan se réveilla, Amy souffrait d'une terrible migraine qu'elle était toutefois fermement résolue à ignorer. Une heure plus tard, après avoir préparé un petit déjeuner avec les moyens du bord, elle décida de s'éloigner du camping pour découvrir les environs avec son neveu.

Avide de se dépenser, comme tous les enfants de son âge, Nathan courait en avant, escaladant la colline que la jeune femme lui avait désignée. Lorsqu'elle le rejoignit au sommet, elle resta bouche bée devant le spectacle qui s'offrait à ses yeux. Les eaux paisibles qui s'étendaient en contrebas ressemblaient à une gigantesque pierre précieuse. Au loin, la masse sombre d'un pétrolier semblait glisser sur ces flots scintillants.

Amy avait en face d'elle une scène qui ne demandait qu'à être fixée sur la toile. Elle utiliserait des peintures acryliques plutôt que des aquarelles, afin de mieux rendre l'intensité des couleurs de ce somptueux paysage tout en contrastes. Alors qu'elle en examinait les détails, les yeux plissés, elle serra les doigts, comme si elle tenait un pinceau à la main.

Elle sentit son estomac se nouer, ce qui se produisait toujours lorsqu'elle découvrait un site qui l'inspirait. Peut-être pourrait-elle faire quelques esquisses ce matin-là? Son pouls s'accéléra tandis que cette idée se frayait un chemin dans son esprit.

L'odeur de terre mouillée se mêlait à celle des jeunes pousses, sur fond d'air marin. Le soleil, qui brillait dans un ciel d'un bleu étincelant, lui caressait le visage. Tel un jeune chien, Nathan courait dans tous les sens, ravi. Il s'arrêta enfin à côté d'elle pour observer un groupe de mouettes qui volaient en demi-cercle. Leurs cris, qui déchiraient l'air, ressemblaient à des rires. L'enfant la prit par la main, pencha la tête en arrière et partit d'un long éclat de rire. Sous cette lumière crue, ses dents luisaient comme une rangée de petites perles.

Le cœur de la jeune femme se serra, et à ce moment-là elle comprit qu'elle devait rester en Alaska.

C'était impossible. Et pourtant...

Matt fixait les deux petites silhouettes juchées sur la colline qui portait le nom de Hotel Hill. Au pied de celle-ci, il distinguait une toile de tente bleue, qui lui semblait bizarrement fixée.

Les yeux plissés, il vit Amy tendre le bras et désigner quelque chose sur le port. Serait-elle en train de montrer à Nathan le quai où était ancré le « Qui ne risque rien... » ? Lui expliquerait-elle en ce moment même que le propriétaire de ce bateau n'était autre que son propre père ?

Il passa lentement la main sur son front moite. Tous les garçons aimaient les bateaux. Lui-même les adorait depuis sa plus tendre enfance. S'il avait un fils...

— Arrête ! s'exclama-t-il en abattant le poing sur le volant de sa camionnette.

Cela ne lui suffisait donc pas de n'avoir quasiment pas fermé l'œil de la nuit ? Il n'avait cessé de songer à la ravissante jeune femme blonde, en proie à un curieux mélange de désir et d'appréhension.

S'apprêtait-elle à revenir ce matin-là avec le petit garçon pour provoquer une confrontation ? Il était convaincu qu'elle ne tiendrait pas compte de son opinion, et tout aussi convaincu, donc, que cette rencontre était imminente. Or, il ne se sentait pas prêt à affronter ce moment. Pas maintenant. Pas encore.

Shadow geignit, à l'arrière de la camionnette, et, d'un geste brusque, Matt tourna la clé de contact. Puis il enfonça le pied sur la pédale d'accélérateur et quitta en trombe le parking du port. La colère s'insinua en lui tandis qu'il conduisait à vive allure. Pourquoi diable ne pouvait-elle pas rentrer chez elle avec le gamin et le laisser en paix ?

Il avait déjà été assez idiot pour tomber amoureux de

Sabrina et l'épouser, alors qu'elle se remettait à peine de sa rupture avec Derek. Elle n'avait d'ailleurs pas tardé à le quitter pour retomber dans ses bras. Et il faudrait maintenant qu'il endosse le rôle de père, parce qu'elle avait eu la bonne idée de faire figurer son nom sur le certificat de naissance !

L'espace d'un instant, il se prit à souhaiter que Nathan fût bien son fils. Du moins cela atténuerait-il l'amertume qu'il éprouvait à l'idée d'avoir été utilisé puis rejeté pour un autre. Il pourrait présenter Nathan à Derek et lui dire que c'était son propre fils. Derek n'aurait jamais un enfant de la jeune femme.

Il secoua la tête et soupira. Voilà qu'il perdait la raison ! Car il fallait être fou pour se soucier encore d'un événement qui s'était produit des années auparavant. Et plus fou encore pour considérer Nathan comme un atout dans son jeu ! Imaginer que l'existence de ce gamin pût troubler Derek relevait de la stupidité. N'avait-il pas deux fils d'un premier mariage, dont il se souciait comme d'une guigne ?

Matt conduisit ainsi jusqu'à la cime de l'une des collines, ruminant de sombres pensées, puis s'arrêta et descendit de la camionnette pour marcher au grand air, Shadow sur ses talons.

Les mains enfoncées dans les poches de sa veste, les épaules basses, il déambula longtemps sans but précis. Il avait besoin de bouger, de s'oxygéner, tout en sachant que cela ne suffirait pas à effacer le problème qui venait de surgir dans sa vie. Quel que soit le temps qu'il passerait à errer dans la nature, Amy et Nathan l'attendraient en ville.

Une sorte de grondement sourd s'échappa de ses lèvres. Il y avait une chance infime pour que la jeune femme dise vrai. Il était en effet possible que Sabrina lui ait menti, mais il n'y croyait guère. En supposant toutefois que cette version des faits soit exacte, il aurait un fils de six ans. Nathan.

Nathan...

Il se répéta à plusieurs reprises ce prénom, et sentit une

peur profonde l'envahir. Car Matt savait qu'il n'était pas de l'étoffe dont on fait les bons pères. Son propre père avait déserté le domicile familial peu de temps après sa naissance. Les trois maris successifs qu'avait ensuite eus sa mère s'étaient bien gardés d'avoir envers lui une attitude paternelle, tant et si bien qu'il avait grandi en n'ayant qu'une opinion très vague et théorique de ce qu'était un père. Il avait aussi appris, avec le temps, à ne pas accorder trop d'importance à ce vide dans sa vie.

Jusqu'à ce que Sabrina surgisse dans son existence. Mais cette brève union ne lui avait apporté que déconvenues. Quoi qu'il en soit, cette expérience désastreuse lui avait prouvé qu'il était fait pour vivre seul. Et il veillerait à ne plus jamais tomber dans ce piège qu'était l'amour.

Il continua de marcher, Shadow à ses côtés. Quand diable Derek reviendrait-il à Valdez ? Dès qu'il serait là, il le présenterait à Amy, et la jeune femme ne tarderait pas à repartir avec son neveu. Mais en attendant, elle ne lâcherait pas prise. Il s'arrêta, jambes écartées, et leva les yeux vers le ciel où se découpait l'élégante silhouette d'un aigle.

Puis il baissa la tête et laissa son regard errer sur le spectacle sauvage et majestueux qui l'entourait. Il sentit alors une profonde sérénité le gagner. Shadow vint lui lécher la main. Il éclata de rire et se mit à courir jusqu'à son véhicule, suivi par la chienne qui poussait des jappements de joie.

On ne devait pas fuir les problèmes, mais les affronter.

3.

— C'est quand qu'on va aller les voir, les bateaux ?

Du bout de sa chaussure de sport, Nathan creusait un petit trou dans la boue.

— Bientôt, répondit la jeune femme, l'œil rivé sur l'esquisse qu'elle était en train de terminer à grands coups de crayon.

Elle avait déjà fait plusieurs croquis du port, sous des angles différents.

— Mais tu m'as déjà dit ça plein de fois !

— Nathan...

Le garçonnet soupira en grimaçant et donna un coup de pied dans la terre.

Amy aperçut alors une longue silhouette sur le quai, flanquée d'un chien gris. Ils montèrent tous deux à bord d'un bateau. Le cœur battant, elle posa son carnet de croquis sur ses genoux.

Devait-elle amener maintenant Nathan sur le port ? Comment le présenterait-elle à Matt Gray ? Il y avait encore tant de questions auxquelles elle n'était pas en mesure de répondre. Peut-être serait-il préférable d'attendre...

Attendre *quoi* ?

— J'aimerais bien avoir un chien, marmonna l'enfant.

— Tu sais que l'endroit où nous vivons est trop petit. De plus, le propriétaire m'a bien précisé qu'il était hors de question d'avoir des animaux dans l'appartement.

Elle lui avait répondu machinalement, les yeux toujours rivés sur le port. Elle prit alors une profonde inspiration et décida que l'heure d'agir avait sonné.

— Bon, tu as gagné ! Allons voir ces bateaux.

« Qui ne risque rien n'a rien ! », se répéta-t-elle à plusieurs reprises tandis qu'ils s'acheminaient vers le port. Il fallait qu'elle tente sa chance. Elle n'avait pas le choix.

Bien que Matt eût déclaré n'avoir aucune envie de connaître le jeune garçon, elle devait le lui présenter. Il finirait peut-être par s'attacher à lui, consentirait à admettre qu'il pût être son fils. Il voudrait alors jouer un rôle dans sa vie, et puis...

« Hé, doucement ! », se dit-elle en réprimant un sourire amusé. Elle s'était certes fixé des buts qu'elle rêvait d'atteindre, mais brûler les étapes ne l'avancerait à rien. D'abord les présentations.

Elle avala sa salive. Et si Matt se montrait odieux envers Nathan ? Pis encore, s'il l'ignorait complètement ?

Ils avaient rejoint le port, et l'enfant courait à présent sur le quai. Amy avançait plus lentement, sans le quitter des yeux. Comme il revenait vers elle, courant toujours, elle le mit en garde contre une éventuelle chute sur les planches mouillées.

Au fur et à mesure qu'ils approchaient du « Qui ne risque rien... », Amy sentait les battements de son cœur s'accélérer. Lorsqu'elle se trouva à hauteur du quai B, elle avait la bouche sèche.

— Nathan ! Viens par ici, mon chéri.

Il s'exécuta, toujours au pas de course. Atterrée, elle le vit foncer droit sur un tas de couvertures duquel émergeait la tête de Matt. La scène à laquelle elle assista parut se dérouler au ralenti sous ses yeux hagards. Nathan se tourna vers elle pour lui dire quelque chose, glissa, et s'allongea de tout son long sur les planches, heurtant les chevilles de Matt, qui perdit à son tour l'équilibre.

Draps et couvertures volèrent dans tous les sens tandis

qu'on entendait un grand « plouf ! ». Nathan pleurait. Shadow tournait en rond en aboyant.

Atterrée, la jeune femme se précipita vers son neveu. Comme elle s'agenouillait devant lui, elle fut confrontée au visage de Matt. Coiffé de quelques algues, celui-ci sortait la tête hors de l'eau. L'expression de son regard ne laissait rien présager de bon.

— Vous ! lança-t-il d'une voix furibonde qui fit taire le garçonnet et la glaça.

Heureuse de retrouver son maître, Shadow remuait la queue et affichait une mimique qui ressemblait à un sourire béat.

Amy avala sa salive puis se rapprocha du bord, la main tendue. Matt l'ignora et se hissa sur le quai. Il se passa la main dans les cheveux, se débarrassant ainsi des algues, et toisa la jeune femme d'un regard glacial.

Celle-ci n'osait pas bouger. Matt lui paraissait encore plus grand, plus imposant que la veille. Sa chemise en velours beige, trempée, épousait les muscles de son torse puissant.

Nathan, qui s'était relevé, se rapprocha de sa tante et glissa sa petite main dans la sienne.

— Il faut pas être fâché contre Amy, m'sieur, dit-il de sa petite voix haut perchée. C'est pas sa faute...

Les mains le long du corps, les traits figés, Matt se tourna vers Nathan. La jeune femme ne pouvait qu'admirer le courage de son neveu, qui, bien que tremblant, volait à son secours tel un preux chevalier.

Matt secoua la tête, envoyant ainsi des gouttelettes d'eau alentour, puis reporta son attention sur le garçonnet.

— Qui es-tu ?

— Je m'appelle Nathan, m'sieur. Et encore une fois, c'est pas la faute d'Amy si vous êtes tombé à l'eau. C'est à cause de moi. Je... je regrette. J'aurais dû faire plus attention.

Il paraissait si fragile. La jeune femme luttait contre son désir de le placer sous son aile protectrice.

— Nathan comment? insista Matt d'une voix peu amène.

— Nathan Allen Sutherland, m'sieur.

Matt fronça légèrement les sourcils en entendant le deuxième prénom du garçon. C'était le même que le sien.

Le silence se prolongea si longtemps qu'Amy manqua hurler pour le briser. A ce moment-là, Matt s'éclaircit la voix et avança d'un pas.

— J'accepte tes excuses, Nathan, fit-il en lui tendant la main.

L'enfant parut se recroqueviller sur lui-même, comme s'il avait peur. Matt fronça les sourcils tandis que sa main engloutissait celle, minuscule, du garçonnet.

— Et maintenant, ajouta-t-il, il faut que je ramasse ces couvertures et que je les range.

— Nous allons vous aider, proposa Amy.

— Je ne pense pas que ce soit nécessaire, répliqua-t-il, l'œil noir.

Comme le moment ne lui semblait pas des plus choisis pour insister, elle se borna à hocher la tête. Tenant toujours Nathan par la main, elle tourna les talons et rebroussa chemin. Debout sur le quai, bras croisés, Matt les suivit du regard jusqu'à ce qu'ils aient disparu au bout de l'allée.

— Je... je regrette, répéta Nathan, presque dans un murmure, tandis qu'ils s'éloignaient.

— Je sais bien que c'était un accident, mais la prochaine fois essaie d'être un peu plus prudent.

Si toutefois il y avait une « prochaine fois », songea-t-elle, d'humeur morose.

— Il avait l'air très en colère.

— Exact.

Elle s'attendait à ce que Nathan lui demande qui était cet homme, mais il n'en fit rien.

— Je l'aime pas beaucoup, reprit le garçonnet. Il est si grand, et puis... il a l'air méchant.

— Comment peux-tu ne pas l'aimer alors que tu ne le connais même pas ?

— J'ai pas besoin de le connaître ! Je trouve qu'il a l'air méchant, c'est tout.

En matière de « présentations », elle aurait pu difficilement imaginer pire.

— Ce n'est pas très raisonnable, Nathan. On ne juge pas les gens à leur allure.

L'enfant ne lui répondit pas. Ils regagnèrent en silence leur terrain de camping.

Assis sur le rebord du bateau, Matt retira ses bottes pour en vider l'eau, puis entra dans la cabine et se changea en maugréant. Il fallait qu'il chasse de son esprit le ravissant visage de la jeune femme. Il fallait aussi qu'il cesse de penser à ce gamin, qui était l'exacte réplique d'Amy, à l'exception des yeux, grands et sombres. Car il n'avait pas de temps à perdre. Il devait ranger ces couvertures, repriser des filets, préparer le bateau pour la saison de pêche qui s'annonçait.

Le sort d'Amy et de Nathan ne le concernait pas.

En fin d'après-midi, fourbu, il se résolut enfin à rentrer chez lui. Shadow le suivit comme son ombre jusqu'à la salle de bains. Dès qu'il ouvrit le robinet de la douche, la chienne battit en retraite. Il se déshabilla à la hâte et poussa un soupir de bien-être lorsque le jet chaud et puissant s'abattit sur ses épaules. Quelle journée !

Lorsqu'il sortit de la salle de bains, il trouva l'animal qui l'attendait devant la porte. Il resta auprès de lui tandis qu'il s'habillait et le suivit quand il quitta la maison.

— Ah, voilà Matt ! Comment ça va ? lança Marge dès qu'il eut poussé la porte du petit restaurant. J'arrive !

Une femme d'une cinquantaine d'années aux formes rebondies traversa la salle de l'établissement, ses boucles flamboyantes sautillant à chacun de ses pas.

— Alors, qu'est-ce que tu prendras ce soir, mon cœur ?

Elle fit éclater une bulle de chewing-gum rose, rit avec sa bonne humeur habituelle, puis lui posa la main sur l'épaule.

— Tu ne devineras jamais qui j'ai rencontré aujourd'hui, Matt. Seigneur, le monde est vraiment petit ! La sœur de ton ex... Voyons, comment s'appelle-t-elle, déjà ? Ah oui, Amy ! Un beau brin de fille, d'ailleurs. Et il y avait avec elle le plus joli gamin que j'aie jamais vu. Elle m'a dit qu'il était...

Matt l'interrompit pour passer la commande.

— ... le fils de Sabrina, finit Marge en griffonnant sur son calepin.

Elle écarquilla soudain les yeux, puis les plissa. Pendant les secondes qui suivirent elle darda sur son client un regard perçant, et finit par disparaître en cuisine.

Matt réprima un gémissement quand il la vit qui l'observait à travers la vitre de la cuisine. Elle avait une conversation animée avec Angie, la cuisinière, et il n'avait aucun mal à imaginer le sujet de leur discussion. Une violente migraine commença à lui marteler les tempes.

Il mangea en un temps record, et, en sortant, s'arrêta à l'épicerie.

— Matt ! s'écria Barney, debout derrière son comptoir. Ça fait un bout de temps que je t'avais pas vu, mon gars. Alors, tu crois qu'on va avoir une bonne saison, cette année ?

Il fit le total des quelques articles achetés par son client et lui tendit le ticket de caisse. Matt plongeait la main dans sa poche quand Barney claqua des doigts.

— Hé, j'allais oublier ! Figure-toi que j'ai rencontré un membre de ta famille.

Il sourit, et son visage se plissa soudain de mille ridules.

— Je suppose qu'on peut la considérer un peu comme ça, non, cette Amy ? La sœur de Sabrina... En tout cas, elle est bien mignonne. Et le gosse qui l'accompagne...

Barney se tut soudain. Matt venait de quitter l'établissement en laissant de la monnaie sur le comptoir.

La mort dans l'âme, Matt remonta dans sa camionnette. Il savait qu'en ce moment même Barney était en train de parler avec Norma, la boulangère, qui appellerait sans doute elle-même sa belle-sœur, Sally-Ann, laquelle travaillait à la banque. Et ainsi de suite... Dans quarante-huit heures, la plupart des habitants de Valdez seraient au courant de la présence d'Amy en ville.

D'Amy et du jeune garçon, qui, vu son âge, pouvait très bien être le fils de Matt.

Il démarra en soupirant et retourna au port. Là, au lieu de rejoindre le quai où était amarré le « Qui ne risque rien... », il laissa ses pas le guider vers le bateau de son vieil ami Tom Johnston, qu'il connaissait depuis le jour de son arrivée à Valdez.

— Hé, Tom ! s'écria-t-il en donnant un coup sur la coque luisante de l'embarcation toute neuve qui portait le nom de « Petite Madame II ». La première de ce nom avait coulé l'an dernier, manquant entraîner la perte de Tom et de son équipage.

Le visage jovial de Tom apparut à la porte de la cabine.

— Hé, Matt ! Entre donc, mon garçon.

Dès que celui-ci l'eut rejoint, il désigna la cafetière posée sur une plaque chauffante.

— Je t'en sers une tasse ?

— Bien sûr ! Alors, comment te sens-tu sur ce bateau flambant neuf ?

— Pfff ! Etre obligé de lire des tonnes de bouquins pour faire marcher un bateau, tu te rends compte ? Je suis trop vieux pour comprendre le fonctionnement de ces gadgets ultra-sophistiqués !

— Bah, je suis sûr que tu t'en tireras à merveille ! Crois-moi, j'aimerais bien me retrouver sur un rafiot de cette envergure.

— Attention, Matt, je dis pas que ce soit pas un bon bateau. C'est pas ça. Mais je risque en plus de me retrouver seul à bord cette année. Pourquoi tu laisserais pas tomber ton épave pour faire la saison avec moi ?

Matt arqua un sourcil.

— Le « Qui ne risque rien... » n'est peut-être pas de toute première jeunesse, mais il tiendra bien quelques années encore.

Tom haussa les épaules.

— C'est ta vie, et puis de toute façon, c'est un problème qui te concerne pas. Figure-toi qu'après ce qui s'est passé l'an dernier, Missy, la femme de Johnny, elle veut plus qu'il bosse avec moi. Elle le tarabuste pour qu'il change de métier. Elle voudrait qu'il reprenne les études !

Il soupira.

— Les études, tu imagines ? Johnny, il vaut guère mieux que moi : il supporte pas de rester enfermé entre quatre murs. Qu'est-ce qu'elle aimerait, qu'il travaille dans une compagnie d'assurances ? A moins qu'elle veuille qu'il reprenne la boutique d'Hannah pour vendre des souvenirs aux touristes !

Matt hocha la tête, songeur. Il ne pouvait en vouloir à Missy, qui était toute jeune et attendait un bébé. La pêche était un métier risqué, tant physiquement que financièrement.

— Tu penses que Johnny ne serait pas capable de mener une autre vie que celle qu'il mène, c'est ça ? Il pêche avec toi depuis qu'il est en âge de sortir en mer. Il a ça dans le sang.

Tom leva les yeux au ciel en soupirant.

— Je le sais, tu le sais, et Johnny aussi le sait. La seule qui ait pas l'air de le comprendre, c'est Missy.

Il secoua la tête.

— Mais bon, je vais pas t'ennuyer avec ça. Tu venais me voir pour quelque chose de spécial ?

— Est-ce que tu as eu des nouvelles de Derek, récemment ?

Tom prit sa tasse de café, en but une gorgée puis la reposa sans quitter son interlocuteur du regard.

— Qu'est-ce que tu lui veux, à Derek ? Je croyais que tu avais décidé d'oublier cette histoire.

— Exact, mais il ne s'agit pas de ça. En fait... c'est assez compliqué. J'aurais besoin de lui parler. Rassure-toi, je n'envisage pas de ressortir les vieilles histoires !

— Tant mieux. Mais il se trouve que j'ai pas eu de ses nouvelles depuis un bon moment. Je sais même pas où le joindre. Je suppose qu'il me fera signe s'il envisage de retravailler avec moi. Tu veux que je te tienne au courant, si j'entends parler de lui ?

— Ça m'arrangerait, répondit Matt avec une nonchalance feinte.

— J'ai appris que tu avais de la famille en ville ?

Matt réprima un grognement. Il avala sa tasse de café puis croisa le regard serein de son vieil ami.

— On peut appeler ça comme ça...

Tom s'adossa à la banquette et continua à le fixer, patient.

— Ils campent, ajouta-t-il.

— C'est ce que j'ai cru comprendre. A Hotel Hill. J'ai aussi cru comprendre que leur tente s'était envolée à deux reprises aujourd'hui, et que cette jeune dame avait failli tout faire flamber ce soir, en préparant à dîner.

Matt fronça les sourcils tandis que Tom poursuivait :

— Apparemment, c'est la première fois qu'elle fait du camping ! J'espère qu'ils sortiront indemnes de cette expérience, le gamin et elle... Remarque, je m'inquiète pas trop. Il paraît qu'elle est très jolie, et elle devrait donc pas avoir de mal à trouver de l'aide.

L'image d'une poignée d'hommes entourant Amy, prêts à voler à son secours, ne plut pas du tout à Matt, ce qui ne fut pas sans l'étonner. Pendant la minute qui suivit, il ne put que continuer à regarder Tom.

Celui-ci poussa un soupir.

— Si c'était ma famille, je me ferais du souci, mon garçon.

Matt se mordit la lèvre, puis promena lentement le regard autour de lui avant de déclarer :

— Il n'est pas de moi.

— Tu en es sûr? insista Tom, les bras croisés sur la table.

— Certain.

Il grimaça avant d'ajouter :

— Il y a cependant un problème : nous étions mariés, Sabrina et moi, quand elle s'est aperçue qu'elle était enceinte. Légalement, je suppose donc qu'il est de moi.

— Tu es vraiment sûr qu'il n'y a aucune chance pour que ce gosse soit de toi ?

Sous le regard perçant de Tom, il sentit ses joues s'enflammer.

— Tu sais aussi bien que moi qu'elle revoyait Derek. Si elle couchait avec lui avant et après notre mariage, pourquoi pas pendant ?

Tom fronça les sourcils.

— Tu n'as pas une très haute opinion de ta femme ni de toi ! déclara-t-il d'un ton assez foid. Elle a peut-être fait la bêtise de t'épouser pour donner une leçon à Derek, mais ça veut pas dire qu'elle a pas tenu son serment de fidélité pendant que vous étiez mariés.

— Sûrement ! C'est d'ailleurs pour cela qu'elle m'a quitté pour retomber dans ses bras !

— Non, Matt. Elle t'a quitté parce qu'elle savait que c'était la chose la plus raisonnable à faire.

Matt le fixa, stupéfait.

— Que veux-tu dire par là ?

— Je t'apprendrai rien en disant que Sabrina était très égoïste. Je l'aurais tuée quand elle m'a annoncé votre mariage ! Parce que j'étais conscient du risque que tu prenais... et que je me doutais bien que ce mariage finirait par te faire souffrir, d'une façon ou de l'autre.

Matt l'écoutait en silence.

— Crois-moi, elle a jamais été aussi généreuse que le jour où elle a décidé de partir. Elle savait qu'elle avait commis une erreur, et elle a préféré mettre fin à ce mariage plutôt que de vous laisser vous enfoncer tous les deux dans le malheur.

— Je l'aimais !

— Mais elle t'aimait pas, elle. En tout cas pas comme tu l'aurais voulu.

Il se pencha vers lui et ajouta, un ton plus bas :

— Il y a longtemps que j'avais envie de te parler comme je le fais aujourd'hui. Mais au début, je pensais que tu étais pas prêt à entendre certaines choses. Et après, comme tu avais l'air de t'en tirer plutôt bien, j'ai préféré laisser tomber.

Un vrombissement de moteur brisa le silence qui s'était installé dans la cabine.

— Tu devrais peut-être passer ces tests de paternité, mon gars.

— A quoi bon ? rétorqua-t-il d'un ton hargneux.

Il avait du mal à répéter à Tom les propos de Sabrina, selon lesquels cet enfant n'était pas de lui.

Tom passa la main dans sa touffe de cheveux grisonnants.

— Pourtant, ça lèverait tous les doutes. A moins que tu aies peur de découvrir que ce gamin est de toi...

Matt répondit par un haussement d'épaules.

— A ta place, je réfléchirais sérieusement. S'il y a la moindre chance pour que ce petit soit ton fils, tu dois pas la laisser passer. Toi, tu penses qu'il est plutôt de Derek, non ? Dans ce cas, attends son retour et parle-lui. Mais ne fais pas souffrir ce gosse pour te venger de ce que tu as enduré avec Sabrina.

Matt se leva et fit quelques pas dans la cabine.

— Si je leur propose de s'installer chez moi, tout le monde en ville pensera que je suis le père de ce Nathan ! lança-t-il avec humeur.

— Tiens donc ! Tu attaches de l'importance au qu'en-dira-t-on, maintenant ?

Tom avait raison. Ce n'était pas là ce qui le préoccupait. Mais s'il accueillait le jeune garçon sous son toit, il serait bien obligé d'héberger aussi sa tante. Et cela le perturbait bien plus qu'il ne l'aurait voulu.

Amy se réjouit que Nathan fût déjà endormi lorsque Matt lui rendit visite, deux jours plus tard. Il descendit de sa camionnette et avança vers elle, le regard noir, les traits tirés. Apparemment, elle n'était pas la seule à avoir des nuits agitées, ces temps-ci.

Elle le quitta des yeux pour observer le feu qui, comme à l'accoutumée, menaçait de s'éteindre. Elle en avait assez de camper, de mal dormir, de souffrir du froid... La perspective de se coucher bientôt dans un duvet humide l'accablait. Elle aurait tant aimé avoir un vrai toit au-dessus de sa tête, cuisiner normalement, s'allonger le soir dans un lit. Mais ses maigres moyens ne lui permettaient pas de louer un appartement.

— Toujours là ? lança Matt en s'arrêtant à un mètre d'elle.

— Toujours ! Je n'ai pas encore obtenu ce que je suis venue chercher, et je n'ai pas pour habitude de me rendre facilement.

Elle le vit serrer les mâchoires, puis soupirer et afficher un air un peu plus aimable.

— Il faut que nous discutions de certaines choses.

— D'accord, mais allons un peu plus loin pour ne pas réveiller Nathan.

Il balaya les alentours du regard.

— Où sont vos voisins ?

— Je ne sais pas. En tout cas, je n'ai vraiment pas à m'en plaindre. Sans eux, je n'aurais jamais réussi à remonter correctement cette maudite tente !

— J'ai appris par la rumeur publique que vous aviez eu quelques problèmes ?

— Oh, rien de bien grave !

— Je... m'en sens responsable.

La jeune femme, qui avait décelé de l'amertume dans sa voix, haussa les épaules.

— Si, insista-t-il. C'est quand même à cause de moi que vous avez parcouru tout ce trajet et que vous êtes aujourd'hui contraints, Nathan et vous, de camper.

En guise de réponse, elle haussa de nouveau les épaules.

— Je suppose que vous n'envisagez pas de repartir ?

La jeune femme se pencha pour caresser la tête de Shadow, et secoua la tête.

— Vous a-t-on déjà dit que vous étiez têtue comme une mule ?

— Mmm... Une ou deux fois.

Elle se redressa et lui sourit. A son grand étonnement, il lui rendit son sourire. Mais ce rayon de soleil sur son visage sombre fut très bref. Si bref qu'elle crut avoir rêvé.

— Bon... Supposons que je sois prêt à, disons... négocier. Rien ne m'y oblige, d'ailleurs, et ce ne serait pas grand-chose, mais...

« Mais cela me permettrait de me débarrasser de vous ! », ajouta-t-il en son for intérieur.

Amy le dévisagea longuement, puis croisa les bras.

— Comme je crois vous l'avoir déjà dit, ce n'est pas seulement de l'argent, que je suis venue chercher, mais aussi et surtout *un père*.

Il lâcha un juron.

— Je ne suis pas son père !

Un silence suivit cette déclaration.

— Vous ne pouvez pas rester à Hotel Hill. Vous finirez par avoir des problèmes, le gamin et vous.

La jeune femme ne répondit pas. En cet instant précis, elle aurait tout donné pour être de retour dans son petit appartement de Seattle. Petit, certes, mais ô combien confortable...

Matt fit quelques pas, puis s'arrêta de nouveau devant Amy.

— Est-ce que... votre père s'appelle Allen ?

— Non. Il s'appelle, ou plutôt s'appelait, Joseph Stephen Sutherland. Elle lui a donné votre deuxième prénom, Matt.

Il hocha lentement la tête, puis se passa la main sur le front.

— Derek ne devrait pas tarder à rentrer.

La jeune femme se raidit.

— Matt...

— Je ne suis pas le père de ce garçon, Amy, pourtant je ne peux pas m'empêcher de m'en sentir responsable.

— C'est tout à votre honneur, mais je persiste à penser que vous devriez vous soumettre à ce test de paternité.

Elle s'attendait à un nouveau refus catégorique de sa part. Cette fois pourtant, il se borna à soupirer.

— J'ai entendu dire que ces tests n'étaient pas aussi précis qu'on le prétend.

Amy essaya d'étouffer la flambée d'espoir qu'avaient suscité en elle ces paroles.

— Ils... se sont considérablement améliorés depuis quelques années. A l'heure actuelle, le risque d'erreur est inférieur à un pour cent.

Elle lui posa la main sur le bras et ressentit un curieux frisson qui l'incita à reculer d'un pas.

— En supposant que Nathan soit votre fils..., ce serait donc si terrible, pour vous ?

Matt se détourna, comme s'il ne supportait pas de la regarder, et contempla le port.

— En supposant que je sois son père... je ne saurais pas comment m'y prendre avec lui.

Ils se turent, et pendant les instants qui suivirent seul le cri des mouettes résonna dans l'air frais de la nuit.

— J'ai l'impression de lire dans vos pensées, déclara-t-il avec un petit rire sec. Vous me voyez m'attacher à Nathan, devenir un père exemplaire... Mais ces choses-là n'existent que dans les contes de fées ! Personne ne vit heureux jusqu'à la fin des temps.

Choquée par l'amertume que trahissaient sa voix et ses propos, elle n'osa répondre.

— Jusqu'à quand envisagez-vous de rester dans les parages ? lui demanda-t-il enfin.

« Aussi longtemps qu'il le faudra », songea-t-elle.

— Tout l'été. Mon patron a accepté de me donner un congé sans solde de quelques mois. En prévision de ce voyage, j'avais réussi à économiser un peu d'argent.

Matt regarda autour de lui, et un soupir s'échappa de ses lèvres.

— Vous ne pouvez pas continuer à vivre dans ces conditions. Il y a encore peu de touristes en cette saison, et j'ai comme l'impression que camper n'est pas vraiment votre fort. J'imagine que vous ne songez pas à vous installer dans un hôtel ou un appartement ?

— Mes moyens ne me le permettent pas.

— Ecoutez, je suis persuadé que cet enfant n'est pas le mien, mais... j'accepte de faire ce test.

Amy eut l'impression que les battements de son cœur résonnaient à mille lieues à la ronde. Elle n'osait pas parler, de crainte que Matt ne change d'avis.

— Je pense aussi que vous devriez venir tous les deux chez moi. Jusqu'à ce que Derek soit de retour en ville, ou que nous ayons les résultats de cet examen.

La jeune femme cligna des paupières. Un lit, de l'eau chaude, un vrai toit sur leur tête... Son enthousiasme fut néanmoins de courte durée. Matt Gray ne voulait pas d'eux chez lui. Seul son sens du devoir lui dictait de les héberger. En outre, elle ne connaissait pas cet homme. Elle s'apprêtait à refuser quand elle s'aperçut que ce serait là le moyen idéal pour que Nathan et Matt se découvrent mutuellement.

— Bon..., fit-elle donc avec un sourire crispé. Je vous présenterai à Nathan comme... un ami de Sabrina.

Les traits tendus, il hocha la tête.

— Si, par un hasard extraordinaire, ce gamin se révélait être de moi...

Il marqua une pause.

— ... je ne pourrais jamais être un père pour lui. Vous ne me comprenez sans doute pas, mais sachez que cela n'est malheureusement que la pure vérité.

Dans la pénombre environnante, ses yeux noirs luisaient d'un éclat particulier.

— Rien ne vous empêche d'essayer de vous lier d'amitié avec lui. Je ne crois pas moi non plus aux contes de fées, mais songez un peu au nom que porte votre bateau...

4.

— Je veux pas aller chez lui, moi !

Amy, qui pliait la tente, fut sur le point de rétorquer : « Moi non plus, figure-toi ! ».

La nuit avait été longue. Cette fois encore, elle avait tourné et retourné cent fois la situation dans sa tête. Quoi qu'il lui en coûtât de l'admettre, Matt Gray l'attirait. S'installer chez lui représentait donc un risque qu'elle redoutait de courir. Mais, avait-elle le choix ?

Elle se redressa et se campa devant le garçonnet, les mains sur ses hanches.

— Matt était un ami de ta mère. C'est déjà bien gentil de sa part de nous offrir l'hospitalité !

— Mais je l'aime pas !

— Nathan...

— Je sais, je sais... Je le connais pas, et donc y'a pas de raison pour que je l'aime pas, fit-il, imitant à la perfection la voix de sa tante.

Amy éclata de rire, et le jeune garçon rit à son tour.

— Allons, ce ne sera pas si terrible. Matt est sans doute un très chic type, et vous finirez par vous entendre à merveille tous les deux.

Elle lui pinça affectueusement le bout du nez, et, avec son aide, chargea le coffre de la voiture. Elle aurait tant voulu dire à Nathan que cet homme était son père. Mais Matt semblait si convaincu que Derek était ce père qu'elle cherchait, qu'il lui arrivait d'avoir des doutes. Mieux valait attendre les résultats de l'examen. S'ils se révélaient positifs, comment s'y prendrait-elle alors pour rétablir la vérité ?

Une fois installée au volant, elle réprima un soupir et se demanda si elle n'avait pas commis une énorme erreur en venant à Valdez. Il lui était certes possible de partir. Rien ne l'empêchait, au lieu de se rendre chez Matt, de quitter la ville. Et d'anéantir ainsi toutes les chances de connaître le père de Nathan.

Elle n'avait pas le droit d'agir ainsi. D'autant qu'elle était en vacances jusqu'à la fin de l'été, et qu'elle avait décidé de mettre à profit ce congé pour peindre. Elle n'allait tout de même pas baisser les bras aussi facilement !

Un peu plus tard, se fiant aux instructions que lui avait données Matt la veille au soir, elle s'engageait sur une route couverte de gravier qui grimpait à flanc de colline. Un épais manteau de velours vert couvrait les montagnes environnantes, repoussant chaque jour un peu plus haut la couche de neige.

Comme ils atteignaient la cime, elle aperçut une maison en rondins et retint son souffle lorsque la porte s'ouvrit sur Matt. Plus moyen de reculer, maintenant.

Sans un mot, Nathan descendit de voiture et claqua la portière derrière lui. Il regardait partout, excepté en direction de Matt, qui avançait maintenant vers eux. En descendant de voiture, la jeune femme trébucha. Matt la rejoignit d'un bond et la retint par le bras pour l'empêcher de tomber. En proie à un curieux émoi, elle releva lentement la tête, et leurs regards restèrent rivés l'un à l'autre. L'espace d'un éclair, elle crut déceler une étrange émotion dans les yeux de Matt. Puis plus rien. Déjà, il s'écartait d'elle, prêt à l'aider à décharger les bagages.

Shadow sortit alors en trombe de la maison et vint les saluer à grand renfort d'aboiements joyeux.

— Super ! s'exclama Nathan.

A ce moment-là, il consentit à se tourner vers Matt.

— Il est à vous, ce chien ?

— *Elle* est à moi. C'est une chienne, et elle s'appelle Shadow.

En entendant son nom, l'animal se mit à tournoyer en agitant frénétiquement la queue. Puis, sur l'ordre de Matt, il se calma et se tint assis à ses pieds.

— Je peux le... hmm, la caresser, m'sieur ? lança le jeune garçon d'une voix tendue, où pointait néanmoins l'excitation.

Matt hésita.

— Je m'appelle Matt. Et tu peux la caresser.

Nathan se rapprocha de Shadow et lui gratta la tête. La chienne se tourna vers lui, l'œil luisant, et lui lécha la main avec enthousiasme. Etonné et ravi, Nathan éclata de rire. Amy remarqua que les lèvres de Matt se retroussaient en un petit sourire.

— En fait, tu nous rendrais service si tu t'occupais d'elle pendant que nous vidons le coffre. N'est-ce pas, Amy ?

Nathan leva les yeux vers sa tante.

— C'est vrai, je peux jouer ? Tu as pas besoin de moi ?

Elle fit non de la tête et, amusée, regarda l'enfant et l'animal s'éloigner au pas de course. Puis, souriant, elle reporta son attention sur Matt.

— Il a toujours eu envie d'avoir un chien, mais ce n'est pas possible dans notre appartement.

Il se borna à hocher la tête et se dirigea vers le coffre, passant si près d'elle qu'elle sentit le parfum de lavande de son après-rasage. La proximité de cet homme avait décidément sur elle un effet dévastateur.

— Par quoi commençons-nous ?

— Etes-vous... sûr que ce soit une bonne idée ? articula-t-elle. Vous savez, nous pouvons très bien retourner au camping, Nathan et moi.

Elle s'aperçut qu'il la fixait de façon étrange, et se mordit la lèvre. Comment lui expliquer que la perspective de partager ses repas, de dormir sous le même toit que lui, l'affolait ?

Matt marqua une pause, et désigna Nathan d'un geste du menton.

— En ville, tout le monde s'imagine que ce gamin est mon fils. On trouverait sûrement très bizarre que vous continuiez à camper tous les deux, alors que j'ai une maison assez grande pour vous loger.

— Mmm... bien sûr.

Il ne les hébergeait donc que pour couper court aux commérages. Et qu'y avait-il là d'étonnant ? Pourquoi se soucierait-il de leur bien-être, après tout ? Elle n'avait donc aucune raison de se sentir aussi déçue.

— Eh bien, si vous êtes sûr que nous n'empiéterons pas trop sur votre territoire...

D'humeur sombre, elle ouvrait le coffre de la voiture lorsque le rire cristallin de Nathan arriva jusqu'à elle, lui rappelant le motif de sa présence en Alaska. Maîtrisant ses émotions, elle plaqua un sourire sur ses lèvres et tendit à Matt une valise et un sac qui avaient connu des jours meilleurs.

Matt se dirigea vers la maison et elle lui emboîta le pas, résolue à ignorer ses états d'âme.

— Voici votre chambre, déclara-t-il en posant les bagages au pied du lit. Celle de Nathan est juste à côté. Venez, je vais vous faire visiter la maison.

Elle le suivit de pièce en pièce, admirant au passage la superbe vue dont jouissait cette bâtisse. Ils dominaient tous les environs, très boisés, et surplombaient le port. L'intérieur n'était certes pas luxueux, mais confortable et accueillant avec ses meubles en chêne, ses tissus colorés et ses grandes baies vitrées.

La visite terminée, Matt laissa la jeune femme seule afin qu'elle puisse ranger leurs affaires, et elle apprécia ces instants de sérénité. Il était hors de question qu'elle laissât sa stupide attirance pour cet homme lui gâcher ce séjour. Ce long congé, elle l'avait pris pour assurer l'avenir de son neveu.

Un sourire se dessina sur ses lèvres tandis qu'elle déballait son matériel de peinture. Elle mettrait aussi cet été à profit pour réaliser une série de toiles sur l'Alaska qui, espérait-elle, lui permettrait d'être exposée dans l'une des galeries de Seattle.

L'été qui s'annonçait serait indéniablement fertile en événements.

— Faut-il que je sois fou ! grommela Matt en entamant la descente du chemin.

Dans le rétroviseur, il apercevait la petite silhouette de Nathan. Les épaules basses, l'air triste, le garçonnet saluait Shadow avec de grands gestes de la main.

La camionnette s'engagea dans un tournant. Nathan disparut, remplacé par des buissons, mais Matt ne se dérida pas pour autant.

« J'aurais peut-être dû laisser Shadow à la maison... », songea-t-il. Cette pensée lui arracha une grimace. « Et puis quoi encore ? C'est *ma* chienne ! *Ma* vie ! Et ce n'est pas parce que je les héberge que je dois y changer quoi que ce soit ! »

« Enfin, pas grand-chose en tout cas », rectifia-t-il en son for intérieur. Après tout, Amy et son neveu ne logeraient chez lui que jusqu'au retour de Derek, ou au résultat de ce fameux test. Dès que la jeune femme saurait de source sûre qu'il n'était pas le père de Nathan, elle plierait bagage.

« Dans ce cas, pourquoi les as-tu invités chez toi ? »

En réalité, il n'avait que faire de l'opinion des habitants de Valdez. Il était, lui, convaincu que cet enfant n'était pas le sien.

« Alors, pourquoi leur as-tu offert l'hospitalité ? »

Parce qu'il n'était qu'un crétin ! Un fou. Car il fallait être fou pour installer Amy à quelques mètres à peine de sa propre chambre ! En proie à une brusque poussée de désir pour la jeune femme, il asséna un coup de poing sur le volant. Surprise, Shadow le regarda dans le rétroviseur et aboya.

Amy Sutherland était jolie, soit. Et alors ? Il n'avait plus quinze ans, que diable ! Il était parfaitement capable de se maîtriser. D'autant que leur séjour chez lui serait de courte durée. Quelques semaines. Peut-être même quelques jours.

Comme il se garait dans le parking du port, il s'efforça de chasser de son esprit Nathan et sa ravissante tante. Dans l'air, l'odeur de gasoil se mêlait au parfum si particulier de l'océan. Matt descendit de voiture et se dirigea vers le quai, où vrombissait le moteur d'un bateau prêt à partir. Il salua le capitaine d'un geste de la main et poursuivit son chemin. Shadow courait en avant, s'arrêtant çà et là pour s'assurer que son maître suivait bien.

Cet environnement familier eut sur lui un effet apaisant. Les doutes au sujet de Nathan et d'Amy s'envolèrent, et il se dirigea vers le « Qui ne risque rien... » en sifflotant.

Il était 4 heures de l'après-midi lorsqu'il regagna son pick-up. Dès qu'il prit place au volant, son estomac gronda, lui rappelant qu'il n'avait mangé qu'un paquet de chips depuis le matin. Il se souvint soudain que le réfrigérateur était vide... et qu'il avait des « invités ». Mais il balaya cette pensée d'un haussement d'épaules et démarra. Si cela ennnuyait Amy, tant pis. Il fallait qu'elle comprît au plus vite qu'il n'était pas là pour résoudre tous ses problèmes.

Et si elle s'imaginait un court instant qu'il allait se montrer généreux, elle se trompait ! Qu'avait bien pu raconter Sabrina à sa sœur ? Avec le recul, il s'apercevait que son ex-femme avait surtout été attirée par sa stabilité financière. Il travaillait dur et ne nageait certes pas dans l'opulence, mais vivait confortablement. En fait, il avait même été étonné qu'elle ne se montrât pas plus gourmande au moment du divorce. Mais bien sûr, Derek était issu d'une famille aisée. Elle pensait donc ne plus avoir besoin de son argent.

Il grimaça. Le divorce s'était déroulé « à l'amiable ». Il n'avait en sa possession aucun document prouvant que Sabrina avait renoncé à ses parts sur le « Qui ne risque rien... ». Rien ne prouvait non plus qu'en échange, elle lui avait demandé de couvrir les frais de son déménagement jusqu'à Seattle, plus deux mille dollars.

Matt s'agrippa au volant et marmonna un juron. C'était bien assez, compte tenu de tout ce qu'il avait perdu dans ce mariage ! Et il ne verserait pas un sou de plus à Amy.

Mais de là à la priver de manger... La culpabilité le gagna tandis qu'il approchait de la maison. Il aurait quand même pu s'arrêter à l'épicerie pour y acheter des provisions. Les quelques denrées qu'il avait prises l'avant-veille étaient épuisées, et il ne restait plus dans le réfrigérateur qu'un pot de beurre de cacahuète et du pain en tranches. Pourvu que la jeune femme n'ait pas l'idée d'ouvrir le bac à légumes... Elle risquait d'être surprise par l'aspect peu engageant des carottes et céleri rangés là depuis des temps immémoriaux !

Il fut sur le point de faire demi-tour pour commander une pizza, mais, après avoir freiné, redémarra, en proie à un curieux mélange de gêne et de rancœur. Il aviserait en temps utile. Ses « invités » auraient peut-être envie de sortir.

— Shadow !

Nathan quitta à la hâte la table où il était assis, en train de dessiner, pour se précipiter au-dehors dès qu'il distingua le bruit du moteur. Il sortit en trombe au moment où l'animal bondissait hors de la camionnette, et ensemble ils roulèrent à terre, chacun poussant dans son jargon des cris de joie. Matt manqua même être renversé par cette étrange bête à deux têtes.

Amy, qui était sortie à son tour, lui adressa un sourire nerveux.

— Il guettait avec impatience le retour de Shadow..., dit-elle, comme si elle cherchait ainsi à excuser la conduite du garçonnet.

Matt hocha la tête sans mot dire et reprit son chemin jusqu'à la maison, la jeune femme sur ses talons. Comme ils traversaient le couloir, en direction de la cuisine, elle le devança afin de passer le seuil de cette pièce avant lui.

— Pendant votre absence je me suis permis de faire quelques emplettes en ville, déclara-t-elle, un peu mal à l'aise. J'espère que vous aimez le poulet. J'ai failli m'étrangler en voyant les tarifs pratiqués ici, et j'ai donc décidé de ne pas l'acheter déjà rôti.

— Le poulet me convient très bien, s'entendit-il répondre.

Amy s'installa à la table de la cuisine et continua à découper des tomates.

Une délicieuse odeur de poulet rôti flottait dans la pièce. Au-dehors on entendait Nathan chanter, accompagné par les jappements de Shadow. Une scène de vie familiale parfaite... qui n'était cependant qu'une illusion.

— Vous n'étiez pas obligée de vous donner tout ce mal ! lança-t-il, beaucoup plus sèchement qu'il ne l'aurait voulu.

Amy leva les yeux vers le maître des lieux.

— Je n'avais pas l'intention de vous froisser, déclara-t-elle, très calme. J'aurais sans doute dû attendre votre retour, mais...

Elle n'eut pas besoin de finir sa phrase pour que Matt devinât ce qu'elle s'apprêtait à dire : « Mais il n'y avait rien à manger ! » Il se sentit ridicule et marmonna :

— Je vous rembourserai.

— Il n'en est pas question ! Nous avons la singulière habitude de nous nourrir, Nathan et moi, et nous n'envisageons pas de nous faire entretenir !

Elle prit une profonde inspiration et ajouta, sans le quitter des yeux :

— Puisque nous sommes appelés à passer quelque temps ici, nous participerons aux frais, et nous « paierons » l'hébergement en nous occupant de la maison.

Elle avait posé les mains sur ses hanches, des hanches à la fois fines et très féminines. Matt s'empressa de reporter son attention sur son visage.

— Dans ce cas, nous allons partager la note.

— D'accord... mais la prochaine fois. Ce soir, c'est nous qui vous invitons.

La sensation de plonger dans un monde irréel s'intensifia au fur et à mesure que la soirée s'écoulait. Nathan était à présent dans sa chambre, en train de « lire » une histoire à Shadow. Installée sur le canapé, Amy dessinait.

Matt prit un livre dans la bibliothèque et essaya, sans grand succès, de lire. Il se sentait déborder d'une étrange énergie. Le moindre bruit, le moindre mouvement dans la maison captivaient toute son attention. La voix cristalline de Nathan arrivait jusqu'à lui, et il avait l'impression que le souffle tranquille de la jeune femme résonnait dans la pièce, accompagné par le grattement de son crayon sur le papier à dessin.

Ce soir-là, la maison semblait vivre...

Au bout de quelques minutes, Amy se leva pour aller coucher Nathan. Elle revint un peu plus tard, suivie de Shadow, qui se coucha aux pieds de Matt et ne tarda guère à s'assoupir.

Il referma d'un geste sec le livre qu'il tenait toujours à la main, et la jeune femme sursauta.

— Désolé.

Pelotonnée au fond du sofa, nimbée d'une lumière dorée, elle paraissait si douce, si délicate.

— Ce roman ne vous plaît pas ? s'enquit-elle.

Il haussa les épaules, essaya de se détendre, et ne prit la parole que quand elle inclina la tête, prête à se remettre à l'œuvre.

— Je n'aurais jamais deviné que vous étiez la sœur de Sabrina.

Elle se redressa soudain.

Bien que surpris par ces paroles qu'il n'avait pas l'intention de prononcer, Matt poursuivit :

— Vous ne lui ressemblez pas du tout.

— Je le sais. Sabrina était superbe, avec ses longs cheveux bruns, sa peau dorée, et un corps que lui enviaient pas mal de femmes. Nous avions tout de même une chose en commun, fit-elle avec un sourire. Les yeux !

Puis elle se passa la langue sur les lèvres et reprit :

— Vous n'imaginez pas ce que ça a été pour moi, d'avoir une sœur comme Sabrina. Chaque fois qu'un garçon s'intéressait à moi, il suffisait qu'il rencontre Sabrina pour qu'il oublie jusqu'à mon existence !

Elle secoua la tête et sourit de nouveau.

Matt ressentit une étrange colère, suivie d'un besoin de protéger la jeune femme. Il s'empressa de refouler ces sentiments.

— Vous avez l'air de considérer ça avec beaucoup de philosophie, dit-il avec raideur.

Il n'avait pas oublié la beauté de celle qu'il avait épousée, et se rappelait aussi très bien l'attitude qu'elle adoptait lorsqu'elle se trouvait en présence de représentants de la gent masculine.

— En effet. J'ai compris il y a bien longtemps que mon physique n'avait rien de problématique. Nous étions seulement très différentes l'une de l'autre, et j'ai d'ailleurs fini par comprendre que je n'étais pas forcément la plus malheureuse des deux. Les gens jugeaient toujours Sabrina d'après son apparence. Ils imaginaient que tout en elle était en accord avec ce corps de reine. Moi au moins, on me permet de faire mes preuves. Je ne suis pas obligée de me livrer à des prouesses pour me montrer à la hauteur de l'opinion qu'on s'est forgée de moi.

— Je ne trouve rien à redire à votre physique.

Quel euphémisme ! En fait, cette beauté tranquille commençait à lui plaire un peu trop.

— Je ne m'en plains pas, répliqua-t-elle avec un léger haussement d'épaules. J'essayais en fait de vous expliquer que je n'y accorde pas grande importance.

Le silence s'installa entre eux, troublé par les doux ronflements de Shadow.

La tête penchée de côté, elle l'examina.

— Puis-je vous poser une question personnelle ?

Il se raidit et acquiesça.

— Sauf erreur de ma part, ma sœur n'avait pas un seul centime à investir dans l'achat du « Qui ne risque rien... ». Pourquoi en avez-vous fait votre associée ? Est-ce elle qui vous l'a demandé ?

Il leva les yeux au ciel.

— Sûrement pas ! Elle détestait ce bateau. Non... je l'ai fait parce que je suis un imbécile.

Comme la jeune femme ne répondait pas, il enfouit les doigts dans ses cheveux et reprit :

— Nous étions sur le point de nous marier. S'il m'arrivait quelque chose, je voulais qu'elle puisse le vendre. Savez-vous ce qu'elle m'a dit quand je lui en ai parlé ?

Ce souvenir raviva un chagrin dont il pensait s'être à jamais débarrassé, et il se demanda pourquoi il racontait tout cela à Amy.

— Elle a ri !

En proie à une rage sourde, il se leva et quitta la pièce en marmonnant qu'il sortait se promener.

Il marcha longtemps dans la nuit, tendu. Les deux

sœurs ne se ressemblaient peut-être pas physiquement, mais cela ne signifiait pas pour autant qu'elles n'eussent pas de points communs. Amy était là parce qu'elle attendait quelque chose de lui. Or il n'avait rien à donner.

Selon son habitude, la jeune femme se réveilla tôt le lendemain. Elle s'étira paresseusement, appréciant le merveilleux confort d'un lit. Elle sourit à la vue du soleil qui filtrait à travers les volets, et se leva, pressée de profiter de cette journée qui s'annonçait superbe. Elle se sentait d'humeur optimiste. Matt et Nathan n'avaient échangé que quelques mots la veille, mais c'était le premier jour. Tout se passerait mieux, aujourd'hui.

Elle fit le moins de bruit possible dans la salle de bains, puis s'habilla et se dirigea à pas feutrés vers la cuisine. Là, elle ouvrit la porte du réfrigérateur et hésita, se remémorant les propos du maître de maison. Puis elle haussa les épaules et décida de n'en faire qu'à sa tête.

Un peu plus tard, des effluves de café frais et de bacon grillé se répandaient dans la maison. Les toasts attendaient, posés sur le grille-pain, tandis qu'elle préparait des œufs brouillés. L'air frais du matin entrait par une fenêtre qu'elle avait entrouverte.

Lorsqu'elle se tourna, prête à réveiller Nathan, elle vit Matt qui se tenait à un mètre derrière elle, les bras croisés, la mine sombre. Surprise, elle manqua pousser un hurlement.

— Vous... m'avez fait peur, déclara-t-elle avec un sourire rassuré.

Sourire auquel il ne répondit pas.

— Je vous ai réveillé ? Excusez-moi, mais j'étais incapable de rester plus longtemps au lit. Le matin est le moment de la journée que je...

Elle n'en dit pas plus long, déroutée par son attitude hostile. Comme il restait muet, elle continua.

— Vous... n'aimez pas les œufs ?

Elle commençait à se sentir très mal à l'aise. Peut-être lui en voulait-il parce qu'elle avait pris possession de sa cuisine ? Elle ouvrait la bouche, prête à se répandre en excuses, lorsque Matt se décida à parler.

— Que faites-vous, au juste ? lança-t-il, les mâchoires serrées.

— Je prépare le petit déjeuner. Vous savez ? C'est un repas que la plupart des gens prennent le matin...

Insensible à ce trait d'humour, il traversa la pièce et se servit une tasse de café.

Nathan parut alors sur le seuil, les yeux bouffis, et Amy pointa le doigt vers la salle de bains pour lui ordonner de faire sa toilette et de s'habiller avant de passer à table. Dès qu'il eut disparu, elle reporta son attention sur Matt.

— Excusez-moi si je vous ai choqué en agissant comme si j'étais chez moi, mais je pensais que nous avions résolu ce problème hier.

Le nez dans sa tasse, il l'examina, et elle se surprit à regretter de n'avoir pas choisi une tenue plus seyante que ce jean et ce T-shirt blanc.

— Si vous n'aimez pas les œufs au bacon, je peux vous préparer...

— Il est inutile que vous cuisiniez pour moi ! coupa-t-il d'un ton rogue.

Amy s'en voulut de rougir.

— Dans la mesure où je vais cuisiner pour Nathan et pour moi-même...

— Je n'ai pas besoin qu'on me serve.

La jeune femme releva le menton.

— Ah... Et qu'attendez-vous de moi ? Que je marche sur la pointe des pieds pour préparer nos repas ? Que je vous regarde manger des sandwichs pendant que nous nous nourrissons convenablement ?

Il s'apprêtait à répliquer quand elle l'interrompit d'un geste de la main.

— Vous savez, ce n'est pas très facile pour moi ! Vous croyez peut-être que ça me plaît de vivre sous le même toit qu'un étranger qui nous fait la charité et ne rêve que de nous voir partir ? Comment vous sentiriez-vous si vous vous retrouviez à notre merci, à Seattle ?

Sans lui laisser le temps de répondre, elle reprit :

— Nous avons nous aussi notre orgueil. Est-ce vraiment trop vous demander que de faire preuve d'un peu d'amabilité ?

Elle ponctuait chacun de ses mots en lui donnant de petits coups sur le torse, et il recula pour échapper à cet assaut.

— Si vous êtes incapable de nous traiter avec davantage d'égards, nous plierons bagage.

Matt s'éclaircit la voix et soutint son regard luisant de colère. Elle se demanda ce qu'il pensait. Son visage ne trahissait pas la moindre émotion.

— Ça ne m'est pas facile de laisser quelqu'un s'occuper de moi, fit-il d'une voix sourde. Je n'y suis pas habitué.

La jeune femme s'en voulut de s'être emportée.

— J'adore cuisiner. Sans doute une manifestation de mon instinct maternel...

— Je n'ai pas besoin d'une mère, asséna-t-il, j'en ai déjà une. Et je n'ai pas non plus besoin d'une femme. J'en ai eu une, ça me suffit amplement !

Sur ces mots, il vida le reste de sa tasse de café dans l'évier, la reposa d'un geste sec sur le comptoir et quitta la maison en claquant la porte derrière lui.

Stupéfaite, Amy resta quelques instants immobile au beau milieu de la cuisine. Nathan l'avait rejointe.

— Assieds-toi, je vais poser les plats sur la table, dit-elle avec calme.

Matt revint après le petit déjeuner, alors que la jeune femme remettait de l'ordre dans la pièce. Il se servit un grand verre d'eau et le but, posté à la fenêtre derrière laquelle jouaient Nathan et Shadow.

Il paraissait si seul... !

— Je crois qu'il faudrait que nous parlions, déclara Amy, rompant le silence.

Elle aurait eu envie d'aller vers lui, de lui poser les mains sur les épaules, mais elle savait qu'il la repousserait.

— Je n'ai aucun besoin de votre pitié, dit-il, comme s'il avait pu lire dans ses pensées. J'ai choisi de vivre seul, d'être indépendant. Vous comprenez ?

Elle hocha la tête.

— Je ne veux pas qu'on me traite comme un pacha.

— Rassurez-vous, je n'en ai pas la moindre intention, fit-elle avec un sourire amusé. Mais, vu que nous sommes logés à titre gracieux, je pensais que vous accepteriez, en guise de, disons..., dédommagement, que je me charge de certaines tâches ménagères. Ça me soulagerait de vous voir dévorer les repas que je prépare !

Comme il restait muré dans le silence, elle reprit :

— Ce n'est pas très facile de se sentir à l'aise chez quelqu'un qu'on ne connaît pas. Je préférerais ne pas m'interroger chaque fois que j'ouvre un placard...

— Ne soyez pas ridicule, voyons ! Vous êtes bien sûr libre d'agir comme bon vous semble...

« Jusqu'à ce que vous vous soyez débarrassé de nous ! », ajouta-t-elle en son for intérieur tandis qu'il regagnait la porte.

5.

Le lendemain matin, Amy se réveilla d'humeur radieuse. La veille, elle était retournée à Hotel Hill pour compléter une esquisse détaillée du port, qu'elle envisageait de commencer à peindre le jour même. Mais d'abord, elle prendrait une douche bien chaude et un solide petit déjeuner.

Elle enfila un kimono et se glissa dans le couloir, où elle se heurta à Matt, qui passait à ce moment-là devant la porte de sa chambre. Il poussa un juron et elle fit un tel bond en arrière qu'il la retint par le bras, craignant qu'elle ne tombe. Ils restèrent figés dans cette position, pendant des secondes qui parurent durer une éternité, chacun conscient de la proximité de l'autre. Puis il se rapprocha d'un pas, et la jeune femme sentit sa gorge s'assécher.

« Il va m'embrasser », songea-t-elle. Au moment où cette pensée lui traversait l'esprit, elle comprit qu'elle ne tenterait pas de se soustraire à cette étreinte. Mais il recula soudain et la lâcha :

— Vous devriez demander à Nathan de ne pas laisser ses jouets dans la baignoire. Quelqu'un pourrait glisser dessus et se faire mal.

Puis il tourna les talons, et Amy rassembla ses forces pour se diriger vers la salle de bains. A chaque pas, elle craignait que ses jambes se dérobent. Après avoir refermé la porte derrière elle, elle s'y adossa et attendit quelques secondes, jusqu'à ce que sa respiration ait recouvré son rythme normal. Que diable lui arrivait-il ? Matt Gray ne pouvait quand même pas exercer une attirance si forte sur elle...

« Et pourquoi donc ? », souffla une petite voix. Eh bien... parce qu'elle n'envisageait pas de se lier à quiconque, et moins encore à l'ex-mari de sa sœur ! En outre, ce serait une perte de temps, vu que Matt habitait Valdez, et elle Seattle. Pour couronner le tout, elle avait maintenant charge d'âme. A quoi bon se compliquer davantage encore l'existence ?

La jeune femme haussa les épaules, se déshabilla et se glissa sous la douche. Inutile d'accorder trop d'importance à ce qui n'en avait pas. Elle avait ressenti une flambée de désir. Soit. Rien de bien grave. Il ne lui restait plus qu'à oublier cet instant d'égarement, et à espérer que Matt ferait de même.

« En supposant qu'il y ait prêté la moindre attention », se dit-elle quelques instants plus tard, en entrant dans la cuisine. Il arborait une expression si froide qu'elle se demanda si cette scène n'était pas le fruit de son imagination. Ou, pis encore, si elle était la seule à avoir éprouvé ce trouble.

Les joues en feu, elle ouvrit le réfrigérateur et entreprit de préparer le petit déjeuner.

Matt était furieux contre lui-même. Il avait failli embrasser Amy. Un désir fou s'était emparé de lui, et il s'était ressaisi de justesse.

Au volant de sa camionnette, il appuya sur la pédale d'accélérateur. S'il avait un soupçon de jugeote, il lui enjoindrait de partir, de sortir de son existence, et le jour même ! Avant qu'il ne soit trop tard.

Trop tard ?... Allons, il exagérait l'importance des faits. A vrai dire, rien ne s'était produit.

Peut-être, mais ce n'était pas faute d'en avoir eu envie !

Il se rappela alors le frémissement de tout son corps tandis qu'il la tenait, ses lèvres offertes, et laissa échapper un gémissement.

Il fallait cesser de penser à elle. Plus facile à dire qu'à faire...

Résolu à travailler d'arrache-pied sur son bateau, il se gara dans le parking du port.

Amy luttait contre son envie de bouger. Au lieu de cela, elle se forçait à lire le journal. La voix de Nathan, qui chantonnait, lui parvenait de la salle de bains, accompagnée par le va-et-vient de l'eau dans le lave-linge. Les bruits normaux d'une maison, à la différence près que cette maison n'était pas la sienne.

La jeune femme reposa le journal en soupirant et se demanda que faire. Elle avait passé le plus clair de la journée à dessiner et à peindre. La seule chaîne de télévision que captait Matt diffusait un film d'horreur. Le livre qu'elle lisait ne l'intéressait plus. Elle connaissait déjà tous les magasins de Valdez, et de toute façon, à cette heure-ci ils ne tarderaient pas à fermer. Seattle et sa mère lui manquaient. Matt tarderait-il encore à rentrer ?

Elle avait l'impression que la maison devenait exiguë.

Exaspérée, elle se leva et se mit à faire les cent pas.

La sonnerie du sèche-linge retentit, et, trop heureuse de s'occuper, elle entreprit de le vider. Elle avait presque terminé lorsque la porte d'entrée s'ouvrit sur Matt et sur Shadow. Ils échangèrent un regard bref mais intense, et elle se réjouit lorsqu'il se détourna pour suspendre sa veste au portemanteau.

Nathan parut alors, enveloppé dans une serviette de laquelle dépassaient deux jambes maigrichonnes. Ses cheveux mouillés étaient plaqués en arrière, et, comme il n'avait pas pris la peine de se sécher, l'eau coulait de son corps, formant deux petites flaques à ses pieds.

Dès qu'elle l'aperçut, Shadow se précipita vers lui, renversant sur son passage Amy et la pile de linge qu'elle tenait dans les bras. La jeune femme tenta de se rattraper à la porte du sèche-linge. En vain. Elle tomba lamentablement sur Nathan, l'entraînant dans sa chute. Croyant qu'ils s'amusaient, Shadow décida de se joindre à eux à grand renfort d'aboiements, et les vêtements se mirent à voler autour d'eux.

D'abord stupéfait, le garçonnet fut pris de fou rire. Amy le regarda et fut soudain elle aussi incapable de contrôler son hilarité. Ce fut le moment que choisit Shadow pour lui donner un grand coup de langue sur le visage. Riant de plus belle, elle repoussa la chienne, prête à se relever, et se trouva devant deux jambes gainées de jean.

Elle leva lentement les yeux. Matt la fixait de son regard de braise. Il ne souriait pas.

Ecarlate, elle se redressa et entreprit de ramasser le linge éparpillé sur le sol. Nathan aussi s'était relevé. A l'aide de sa serviette, il essuyait l'eau qu'il avait répandue en sortant du bain.

— Vous ne vous êtes rien cassé, tous les deux ?

Ils s'immobilisèrent en entendant la question, et répondirent en chœur.

— Bien, dans ce cas, si ça ne vous dérange pas... Je suis affamé et fatigué, et j'aimerais bien me doucher. Tu pourrais peut-être t'habiller maintenant, Nathan ?

L'enfant courut jusqu'à sa chambre pour se mettre en pyjama. Les joues toujours cramoisies, Amy apporta le linge sec dans la sienne. Lorsqu'elle en ressortit, Matt se tenait devant le réfrigérateur ouvert.

— Voulez-vous que je vous fasse réchauffer des restes ?

— Je vais me préparer un sandwich, répondit-il sans la regarder.

Elle se mordit la lèvre.

— Hmm... Impossible.
— Ah ? Et pourquoi ?
— Parce qu'il n'y a plus de pain. J'avais l'intention d'en acheter, et puis j'ai oublié.
Comme elle prononçait ces mots, elle eut l'impression d'avoir commis un terrible délit.
Matt se tourna vers elle. Il avait l'air exténué.
— Je vais faire réchauffer du poulet et des pommes de terre pendant que vous vous douchez. Je n'en ai pas pour longtemps.
Il hésita. Elle sentait qu'il s'apprêtait à refuser, et se demanda pourquoi elle avait pris la peine de le lui proposer. Elle regretta soudain de ne pouvoir, à l'instar de Nathan, se réfugier dans sa chambre.
— Bonne idée, dit-il alors avant de tourner les talons.
Elle en resta médusée. Quelques instants plus tard, elle entendait la douche couler. Matt lâcha alors un juron, qui fut suivi d'un grand bruit.
Le cœur battant, Amy traversa le couloir au pas de course.
— Matt ?..., lança-t-elle, derrière la porte.
Il émit un gémissement.
— Oh, non..., chuchota-t-elle, ne sachant quelle attitude adopter.
Sa voix lui parvenait diffuse, étouffée par le bruit de la douche.
— Matt ? Répondez-moi ! Ça va ?
— Oui. Non. Enfin... je ne sais pas.
— J'arrive ! déclara-t-elle en tournant la poignée.
La jeune femme fut accueillie par une nuée de vapeur. Elle avala sa salive, puis avança vers la baignoire, dont Matt avait tiré le rideau en plastique coloré. Là, elle tendit la main et tourna le robinet, s'efforçant de ne pas regarder en direction de Matt.
— Passez-moi une serviette, marmonna-t-il.
Elle se tourna, prit une serviette, puis hésita et finit par la lui tendre derrière le rideau.

— Voulez-vous que j'appelle un médecin ?

— Non, ça m'est déjà arrivé. Il faut simplement que je m'allonge et ça ira mieux demain. Je me suis coincé un nerf dans le dos. Ça se produisait souvent quand je jouais au football, au collège.

Elle garda le silence. Un autre gémissement se fit entendre.

— Je n'y arriverai jamais tout seul ! lança-t-il. Je suppose que vous avez déjà vu un homme nu ?

— Oui, fit-elle d'une petite voix.

— Dans ce cas, aidez-moi !

Il écarta le rideau de la douche, et Amy fut confrontée au spectacle de ce corps tout en muscles, pareil à ces statues grecques qu'elle avait vues dans des musées. Ce n'était cependant pas une statue qu'elle avait sous les yeux, mais un homme en chair et en os. Un homme qui avait sur elle un effet des plus surprenants... et qui, dans l'immédiat, avait besoin qu'on le tire d'un mauvais pas.

S'efforçant d'ignorer l'onde de désir qui la submergeait, elle l'aida à se redresser, l'enveloppa dans la serviette, puis lui passa le bras autour de la taille et parvint à le faire sortir de la baignoire. Ensuite, le tenant toujours fermement, elle s'engagea dans le couloir. Nathan, qui venait de sortir de sa chambre, les fixait, éberlué.

Matt s'arrêta, le souffle court, et dévisagea l'enfant.

— Si je puis me permettre de te donner un conseil... ne laisse plus jamais la savonnette au fond de la baignoire quand tu sors de prendre ton bain !

Nathan baissa les yeux et murmura :

— Oui, m'sieur.

Elle le conduisit jusqu'à sa chambre, l'aida à s'allonger, et insista de nouveau pour faire appel à un médecin. Mais cette fois encore il refusa, et elle préféra ne pas tenter le diable en restant plus longtemps auprès de lui.

— Je vous apporte à dîner sur un plateau.

— Ne...

— Si !

⁂

Comme prévu, Matt se leva sans peine le lendemain matin. L'après-midi, ils se retrouvèrent à l'hôpital pour procéder au test de paternité.

— Un mois? J'ai bien entendu? Il faut attendre *un mois* pour avoir le résultat?

Matt fixait la secrétaire d'un œil noir.

— Oui monsieur Gray, vous avez bien entendu. Le laboratoire qui pratique ce genre d'examen ne se trouve pas ici. L'analyse elle-même prend trois semaines, auxquelles on ajoute le transport à l'aller et au retour, ce qui nous mène à un mois au bas mot.

« Un mois au bas mot... », se répéta-t-il, abasourdi, tandis qu'il rejoignait Amy et Nathan, installés dans la salle d'attente. Dès qu'il tra, la jeune femme reposa le magazine qu'elle était en train de feuilleter.

— Vous saviez que ça prendrait un mois? rugit-il.

Elle hocha la tête.

— Oui. Mais ce n'est quand même pas si long, un mois...

Elle s'était levée et rapprochée de lui. Lorsqu'elle lui posa la main sur le bras en un geste qui se voulait réconfortant, il huma l'odeur de fleurs fraîches de son parfum, et ressentit une étrange griserie.

— Je dois retourner au port, déclara-t-il alors d'un ton bourru.

Sur un simple signe de tête il tourna les talons, pressé de fuir ces grands yeux bleus, ces lèvres frémissantes.

Ce mois durerait pour lui une éternité.

Deux jours plus tard, en se réveillant, Matt fut surpris par le calme qui régnait dans la maison. Pas la moindre odeur de café frais. Amy dormait sans doute encore. Parfait. Il avait l'impression de ne plus être chez lui. Tout avait changé. Le soir, il lui semblait entendre respirer ces deux êtres tout près de lui.

En dépit de ses recommandations, Nathan s'obstinait à laisser des jouets au fond de la baignoire. Il devait aussi fréquemment reboucher le tube de dentifrice pour enfant, qui restait ouvert sur le lavabo. Shadow passait de plus en plus de temps à jouer avec le garçonnet.

Nathan ne lui parlait jamais. Il le fixait de ses grands yeux bruns, puis partait en courant. A croire qu'il avait commis un quelconque crime...

Et bien sûr, il y avait Amy. Amy qui préparait de succulents petits repas, et veillait à ce que la maison fût toujours accueillante. Ignorer le désir qu'elle suscitait en lui relevait de l'impossible, puisqu'elle était toujours là. Quand par hasard elle ne se trouvait pas dans la même pièce que lui, son parfum, qui flottait partout dans la maison, lui rappelait sa présence.

Bénissant les quelques instants de solitude dont il allait enfin pouvoir jouir, Matt se leva et traversa le couloir, Shadow sur ses talons. Il prendrait un rapide petit déjeuner et disparaîtrait avant que ses hôtes ne se réveillent.

Il entra dans la cuisine, le sourire aux lèvres. Et son sourire se figea aussitôt.

Nathan était assis à table. Dès qu'il l'aperçut, l'enfant écarquilla les yeux et resta figé, sa cuillère suspendue en l'air. Il avala sa salive et plongea le nez dans son bol de céréales.

Soudain, Matt se sentit terriblement mal à l'aise. Ce gamin semblait le craindre, or il ne gardait pas le souvenir de lui en avoir fourni le moindre motif. Mais peut-être se trompait-il.

Shadow se dirigea aussitôt vers Nathan pour le saluer. Il lui caressa la tête, décocha un regard en biais à Matt, puis reporta son attention sur son bol.

Matt donna à manger à la chienne et s'éclaircit la voix.

— Où est Amy?

— Elle s'habille, répondit Nathan à voix basse.

Le silence s'installa de nouveau dans la pièce. Matt ne savait que dire, que faire. La compagnie des enfants lui était étrangère.

— Tu as des projets pour aujourd'hui? lança enfin Matt, en plaçant deux toasts dans le grille-pain.

— Non. Amy elle a l'intention de dessiner ou de peindre.

— Que fais-tu de tes journées?

Il beurra l'un des toasts et s'assit sur le rebord du comptoir pour le manger.

Nathan haussa les épaules.

— Des trucs, répondit-il en évitant le regard de Matt. Je lis, je joue... des trucs, quoi.

Matt esquissa un sourire.

— Tu dois t'ennuyer, non?

A l'âge de Nathan, il avait lui-même le plus grand mal à se tenir tranquille et à rester trop longtemps enfermé.

Le garçonnet haussa de nouveau les épaules.

— Il faut que je sois sage, parce que c'est important. Vous savez, Amy elle va devenir un jour une vraie artiste, et c'est pour ça qu'elle doit peindre. Pour pouvoir mettre ses tableaux dans une galerie.

Comme Matt ne répliquait pas, il poursuivit :

— Il y aura des gens qui les achèteront, et peut-être qu'un jour elle pourra arrêter de travailler, et peindre tout le temps.

Il était si menu, paraissait si fragile... Matt doutait d'avoir un jour été aussi frêle. Il se rappelait en revanche s'être efforcé d'être sage et de répondre à l'attente des adultes. Il se rappelait aussi les longues heures passées à s'ennuyer.

— Tu aimes les bateaux? lança-t-il d'un ton rude.

Nathan acquiesça, et cette fois fixa son interlocuteur.

— Si tu veux, tu peux m'accompagner au port aujourd'hui.

Il se mordit la lèvre. Quelle mouche l'avait donc piqué ?

— Mais il faudra que tu te tiennes tranquille, s'empressa-t-il d'ajouter.

— Shadow sera là aussi ?

— Bien sûr.

Matt pinça les lèvres. Ainsi, c'est l'animal qui...

— Il faut que je demande la permission à Amy.

— La permission de quoi ? s'enquit la jeune femme en entrant dans la pièce.

Elle adressa une ébauche de sourire à Matt, puis avança vers Nathan et l'embrassa sur le front.

— Matt il a dit que je pouvais aller au port avec Shadow et lui, aujourd'hui.

La jeune femme se tourna vers le maître des lieux, surprise.

— Vous êtes sûr que ça ne vous dérange pas ?

— Pas du tout ! répondit-il, réprimant un mouvement d'humeur.

Ils se comportaient tous deux comme s'ils avaient affaire à une sorte de monstre qui dévorait les enfants au petit déjeuner !

— Bon... dans ce cas... Je vais vous préparer un en-cas pour midi.

— Non.

— Mais...

— Nous irons manger un hamburger, si ça te convient, Nathan.

Le garçonnet sourit, l'œil luisant, et Matt tenta d'ignorer la douce sensation de chaleur qui l'envahissait.

— Si vous pensez que..., balbutia la jeune femme.

— Oui, coupa-t-il, prêt à partir.

Nathan et Shadow couraient déjà vers la porte.

— Matt...

Il se tourna vers elle, et le spectacle de ce visage ouvert, souriant, l'ébranla.

— Merci, dit-elle d'une voix à la fois grave et douce, qui lui fit l'effet d'une caresse.

— N'en parlons plus. Je me suis dit qu'il avait besoin de changer d'air, voilà tout. Ce n'est pas très rigolo pour un gosse de son âge de rester assis toute la journée.

Amy s'efforça de goûter pleinement à cette journée de liberté. Après un petit déjeuner substantiel, qu'elle prit sans se presser, elle rangea son matériel de dessin dans un grand sac et emprunta le chemin qui menait à la plage. C'était plutôt une sorte de crique, avec des rochers qui plongeaient à pic dans l'océan.

Munie de son cahier de croquis et d'un crayon, elle s'assit sur un tronc d'arbre et fixa la surface irisée de l'eau. Ses pensées s'orientèrent aussitôt vers Nathan. Etait-il sage? S'amusait-il?

Pourquoi Matt lui avait-il proposé de l'accompagner? Un changement se serait-il opéré en lui? Pourtant, il ne s'était produit aucun événement susceptible de l'inciter à penser que l'enfant était bien son fils.

La jeune femme soupira et, les yeux plissés, s'efforça de concentrer son attention sur le superbe paysage qui s'offrait à elle dans la lumière du matin. Impossible de deviner ce que pensait Matt. Il n'avait probablement agi ainsi que par gentillesse, et elle perdait son temps à trouver des raisons fantaisistes à son invitation.

Elle ferait mieux de se demander pourquoi elle se sentait si vulnérable en sa présence. Il suffisait qu'il la regarde, qu'il lui parle, pour qu'elle perde ses moyens.

— Ridicule! souffla-t-elle.

Il était grand temps de se ressaisir. Certes, elle ne gardait pas le souvenir d'avoir jamais été aussi attirée par un homme, mais avec le temps, le charme qu'il exerçait sur elle s'estomperait.

Le fond de l'air était frais. Elle remonta le col de sa

veste, résolue à chasser Matt de ses pensées. A ce moment-là, un bruit retentit au-dessus d'elle. Elle leva la tête et cligna des paupières, mais ne vit rien. Elle scruta la forêt dense, derrière elle. Toujours rien. Puis elle reconnut la silhouette majestueuse d'un aigle, qui s'envola soudain, ailes déployées.

Saisie par la beauté de ce spectacle, elle se pencha sur son cahier et commença à y tracer de grands traits. Le rapace plana quelques minutes au-dessus de la baie, et elle eut le temps de réaliser plusieurs esquisses. Puis, craignant qu'il ne disparût, elle songea soudain à son appareil photo et plongea la main dans son sac.

Un cri s'étrangla dans sa gorge lorsqu'elle vit deux pieds chaussés de bottes tout près d'elle. Terrifiée, elle leva les yeux et reconnut Matt.

— Vous m'avez fait sacrément peur ! s'exclama-t-il, les traits tendus.

— Parce que vous, vous ne m'avez pas fait peur, peut-être ? riposta-t-elle vivement.

— Je vous cherche partout. Il y a bien dix minutes que je vous appelle !

— Ah ?

La jeune femme baissa alors les yeux sur sa montre et tressaillit.

— Pourquoi êtes-vous rentré si tôt ? Où est Nathan ?

Elle se leva d'un bond, le cœur serré.

— Il... lui est arrivé quelque chose ? lança-t-elle, affolée.

— Hé, calmez-vous. Nathan se porte comme un charme. Il est à la maison.

Livide, elle inspira à petits coups.

— Que s'est-il passé ? Pourquoi êtes-vous déjà rentrés ?

— Ce maudit gamin s'est échappé !

Elle le dévisagea, éberluée.

— Echappé ? Nathan ?... Ça ne lui ressemble pas du tout.

— Pourtant... Il m'a fichu une de ces frousses ! J'ai couru comme un fou sur tous les quais. Je ne savais pas si je devais le chercher sur la route, retourner à Hotel Hill, ou plonger dans le port. Vu la température de l'eau, un gosse de son gabarit ne résisterait pas très longtemps.

Il frissonna et elle lui posa la main sur le bras, le rassurant à son tour.

— Il va bien, maintenant.

— Il avait aussi l'air d'aller bien avant de disparaître ! Je pensais même qu'il s'amusait, à fouiller avec moi dans ma caisse à outils pour réparer le bateau. Et puis...

Il s'interrompit, songeur.

— Je ne sais pas. Il commençait sans doute à s'ennuyer. Il m'a dit quelque chose, je lui ai demandé d'attendre une seconde... et quand je me suis tourné vers lui il n'était plus là !

— C'est bizarre... Nathan n'est certes pas parfait, mais il n'a jamais rien fait de pareil jusqu'ici.

Matt haussa les épaules et soupira.

— Je n'aurais jamais dû lui proposer de m'accompagner. Il ne m'aime pas.

La jeune femme en resta bouche bée.

— Mais... bien sûr que si !

— Certainement ! Nous sommes même les meilleurs amis du monde !

— Il ne vous connaît pas, Matt. Il faut lui laisser un peu de temps...

« De plus, songea-t-elle, je pensais que vous ne vouliez pas qu'il vous aime ! »

— De toute façon, ça m'est égal, reprit-il, la mine boudeuse. Ce n'est pas mon problème. Derek ne devrait plus tarder à revenir à Valdez, maintenant.

Le cœur serré, Amy baissa les paupières. Le silence s'installa entre eux, rompu seulement par le bruit des vagues. Elle releva enfin la tête et le regarda droit dans les yeux.

— Comment est-il, ce Derek ?

Matt ne répondit pas tout de suite. Pendant les instants qui suivirent, il examina le bout de ses bottes, puis releva brusquement la tête.

— Nul ! répliqua-t-il d'un ton tranchant.

— Oh...

— Il est bel homme — pour autant que je puisse en juger ! —, issu d'une famille aisée originaire de l'est, et il est habitué à avoir ce qu'il veut quand il veut. Il pratique la pêche pour s'amuser. Le jour où il en aura assez, il arrêtera. Les femmes sont toutes folles de lui. Doté d'un solide sens de l'humour, il peut être très drôle. Et aussi, froid et impitoyable. Désolé, mais je ne vous dis là que la vérité. Une vérité que vous ne tarderiez pas à découvrir si vous lui annonciez que Nathan est son fils.

— Je vois...

Matt tendit alors la main vers la jeune femme et lui effleura la joue. Il hésita, et elle eut l'impression qu'il allait franchir la distance qui les séparait. Au lieu de cela, il recula et contempla le ciel, où s'amoncelaient maintenant des nuages menaçants.

— Rentrons. Il ne va pas tarder à pleuvoir.

Il s'éloignait déjà quand elle le retint par le bras.

— Supposons que vous vous trompiez. Que Nathan soit *votre* fils.

Il serra les mâchoires.

— Eh bien, il ne serait pas mieux loti !

De grosses gouttes de pluie commencèrent à tomber. Matt saisit le sac de la jeune femme, la prit par la main et se mit à courir vers la maison. Lorsqu'ils arrivèrent, Nathan et Shadow attendaient dans le salon. Le garçonnet lança un regard inquiet à Matt, et courut aussitôt se réfugier dans les bras de sa tante.

Celle-ci s'agenouilla pour le serrer contre elle.

— Que s'est-il passé, Nathan ? Tu sais bien que tu n'aurais pas dû partir sans dire à Matt où tu allais.

Il acquiesça lentement, et elle vit ses yeux se remplir de larmes.

— Il... fallait que j'aille aux toilettes, balbutia-t-il enfin.

Matt soupira.

— Et pourquoi ne me l'as-tu pas dit, Nathan ?

— Je vous l'ai dit, mais vous avez pas fait attention.

Visiblement embarrassé, Matt toussota.

— Je pouvais pas attendre, poursuivit l'enfant, qui pleurait maintenant à chaudes larmes. Et puis... et puis je me suis perdu. J'avais très peur ! Je croyais que je te reverrais plus jamais, Amy !

Elle le prit dans ses bras et le berça tendrement tandis qu'il sanglotait. A ce moment-là, et pour la première fois depuis son arrivée, elle eut la sensation que son cœur se coupait en deux. Matt paraissait si mal à l'aise, aussi contrit qu'un garnement venant de commettre une grosse bêtise. Et Nathan qui tremblait tout contre elle...

Comment faire pour les rapprocher l'un de l'autre ?

Matt s'éclaircit la voix, et elle sentit le garçonnet se raidir.

— Il semblerait que je te doive des excuses, déclara Matt.

Il avança vers eux et s'agenouilla à son tour. Nathan le fixa, les yeux écarquillés, et cessa instantanément de pleurer.

— Tu sais, reprit-il avec une grimace comique, j'avoue que je ne fais pas attention à grand-chose quand je suis en train de travailler. La prochaine fois, je te conseille de me taper sur l'épaule, ou alors de parler un peu plus fort.

Nathan restait de marbre. Il ne s'était pas départi de son regard méfiant.

Matt avala sa salive.

— Excuse-moi, poursuivit-il. Je suis désolé d'avoir crié si fort, mais je... eh bien, je...

— Il était très inquiet, finit Amy à sa place, en lui souriant par-dessus la petite tête blonde. Finalement, vous n'êtes pas aussi désagréable que vous en avez l'air...

Il se redressa.

— Bon... je... Il faut que je retourne au port.

— Sous cette pluie ? Vous risquez d'attraper un rhume carabiné !

Elle se redressa elle aussi. Soudain, elle avait une envie folle qu'ils passent la journée ensemble, tous les trois. La pluie tombait dru sur le toit.

Il hésita, et ils restèrent quelques instants à se dévisager avec intensité. Cette fois elle était sûre de ne pas se tromper. C'était bien du désir qu'elle lisait dans ses yeux d'un noir profond. Un désir aussi fort que le sien.

— J'y vais, dit-il néanmoins d'une voix sourde.

Il se dirigea vers la porte et marqua une pause.

— Reste avec Nathan, Shadow.

La chienne s'arrêta au beau milieu de la pièce, apparemment indécise. Nathan la rejoignit, le visage rayonnant.

— C'est vrai, Matt ? Elle peut rester jouer avec moi ?

— Oui, pour aujourd'hui. De toute façon il pleut...

Avant de quitter la pièce, il adressa un clin d'œil à Amy.

6.

Deux jours plus tard, au réveil, Matt sentit qu'il avait la gorge très irritée. Il se tourna sur le côté et écouta le bruit cinglant de la pluie sur le toit. Shadow s'étira à côté du lit avant de dresser la tête. Mais comme son maître ne faisait pas mine de se lever, elle se roula de nouveau en boule et ferma les yeux.

Matt s'allongea sur le dos, et, les bras passés derrière la tête, fixa le plafond. Il entendit alors du bruit dans la salle de bains, et en déduisit qu'Amy était réveillée. Les yeux clos, il se la représenta enlevant son kimono et se glissant sous la douche. L'image de son corps nu, ruisselant, s'infiltra dans son esprit et il poussa un petit gémissement. Dieu, qu'il la désirait !

Mais à quoi bon se torturer ? Après l'échec cuisant qu'il avait essuyé avec Sabrina, il n'envisageait pas de s'investir dans une relation. Et, de toute évidence, Amy Sutherland n'était pas le genre de femme à se satisfaire d'une aventure sans lendemain. En outre, elle méritait mieux que cela.

Mieux valait ne plus y songer. Elle disparaîtrait bientôt de son univers, et sa vie reprendrait enfin son cours normal.

Shadow émit un petit grognement, bâilla et lui posa la tête sur la main.

— D'accord, d'accord, on se lève.

Il se redressa sur un coude, grimaça et baissa les paupières. Les murs de la chambre tanguaient autour de lui. Il avait l'impression d'avoir la gorge en feu, et se sentait fiévreux. Au lieu de mettre son jean, il enfila un survêtement et réussit à traverser le couloir.

Amy était dans la cuisine, les cheveux encore mouillés. Il esquissa un pauvre sourire, se dirigea vers la porte pour laisser sortir Shadow, et dut s'y adosser, les yeux clos, après l'avoir refermée.

— Vous êtes malade ! lança la jeune femme d'un ton accusateur.

Il ouvrit un œil. Elle se tenait devant lui, bras croisés, sourcils froncés.

— Pourquoi vous êtes-vous levé ?

— Ça va...

— A merveille, même !

Il ouvrit la bouche, prêt à protester, mais n'en trouva pas la force. A vrai dire, il n'était même pas sûr de parvenir à faire le chemin inverse.

— Vous allez retourner vous coucher, et immédiatement.

— Il n'en est pas question. Je n'aime pas que...

— Je sais, je sais, fit-elle en le prenant par le bras. Vous ne supportez pas qu'on s'occupe de vous !

Elle se tourna vers lui et lui pointa le doigt sur la poitrine. Ce simple contact lui fit l'effet d'un coup de poing, et il fléchit.

— Matt..., souffla-t-elle, visiblement inquiète.

Il soupira.

— Je ne comprends pas. Je ne suis jamais malade... J'ai dû attraper froid.

— Vous ne voulez vraiment pas retourner au lit ?

— Seulement si vous m'y accompagnez.

Il prit soudain conscience de ce qu'il venait de dire, et ouvrit grand les yeux. Il s'attendait à ce qu'elle recommence à lui marteler la poitrine de l'index, mais au lieu de cela, elle rougit et lui sourit.

— Il n'est pas interdit de rêver!

Si seulement elle savait...

— Venez, fit-elle en le guidant vers le salon. Allongez-vous au moins sur le sofa. Le simple fait de vous regarder me rend malade! Je savais bien que vous n'auriez pas dû travailler sous la pluie, l'autre jour.

Quelques instants plus tard, Matt se retrouvait étendu sur le canapé, une couverture remontée jusqu'au menton, la tête bien calée contre un oreiller. « On » lui avait frictionné la poitrine avec un onguent à l'eucalyptus qui lui picotait les yeux. « On » lui avait donné de l'aspirine et des pastilles pour apaiser le mal de gorge.

Assis en face de lui, Nathan mangeait des céréales en l'enveloppant de regards chaleureux. Shadow s'était lovée au pied du divan et levait de temps en temps vers lui ses bons yeux dorés. Il entendait Amy qui allait et venait dans la cuisine, ouvrait des placards, sortait des ustensiles.

Bien qu'il détestât être immobilisé, il n'avait pas trop le choix. Quelques minutes plus tard, la jeune femme l'aidait à se redresser et posait sur ses genoux un plateau contenant des œufs brouillés bien moelleux, des toasts beurrés, et un grand verre de jus d'orange. Elle prit place à côté de lui et décréta qu'elle ne bougerait de là que quand il aurait tout terminé. Ce qu'il fit.

Les heures s'écoulaient lentement. Le matin fit place à l'après-midi, puis à la soirée. Matt avait l'impression d'être enveloppé dans une épaisse couche de coton. Il ne se rappelait pas s'être jamais senti aussi faible, et ne se rappelait pas non plus avoir été aussi bien soigné. Présence discrète mais néanmoins efficace, Amy devançait le moindre de ses désirs.

Une lumière grise filtrait à travers les baies vitrées lorsqu'il se réveilla. La fièvre et les frissons avaient disparu. Le mal de gorge persistait, mais le pire était passé. Il se mit en position assise, attendit que la sensation de malaise se fût dissipée, et balaya lentement la pièce du regard.

— Matt ?

Dans la pénombre, il distingua la silhouette de la jeune femme, recroquevillée dans un fauteuil.

— Vous avez perdu la tête ? Que diable faites-vous là ?

— Je préférais ne pas trop m'éloigner, au cas où vous auriez eu besoin de quelque chose pendant la nuit.

Ces mots simples eurent raison de la colère qui pointait en lui. Colère aussitôt remplacée par la gêne d'avoir fait l'objet de tant de soins.

Comme si elle avait perçu son embarras, Amy étouffa un bâillement et se leva.

— Puisque vous semblez à peu près rétabli, je vais aller me coucher maintenant.

Elle se dirigea vers la porte.

— Amy.

La jeune femme s'arrêta et se tourna. La pâle lueur de l'aube soulignait ses traits tirés, ses yeux cernés.

— Je n'ai jamais été très doué pour les remerciements...

Cette déclaration fut suivie d'un silence, puis elle sourit.

— Je vous en prie, murmura-t-elle avant de quitter la pièce.

Le salon était baigné de soleil. Au-dehors, de gros nuages joufflus, tout blancs, voguaient dans le ciel. Les cris de Nathan, qui jouait dehors, filtraient par la baie vitrée entrouverte. Sur la terrasse, assise à son chevalet, Amy boutonna sa veste pour se protéger de la brise fraîche qui soufflait ce jour-là.

Elle grimaça, redressa les épaules et se frotta le dos. Matt l'examinait à travers la vitre. Avec ce paysage accidenté pour toile de fond, elle paraissait si menue. Presque autant que Nathan. Il fronça les sourcils.

La jeune femme se leva et fit quelques pas pour se détendre. Elle l'aperçut à travers la vitre, lui sourit et agita la main dans sa direction avant de se réinstaller devant son chevalet.

Matt essaya de se concentrer sur sa lecture. Son estomac gronda. Amy avait insisté pour qu'il ne prît qu'un consommé de poulet aux vermicelles à l'heure du déjeuner. Au cours des dernières quarante-huit heures, trop faible pour attacher de l'importance à sa nourriture, il n'avait pas protesté.

A présent, il sentait une énergie incontrôlée bouillonner en lui. Il en avait assez de rester assis ou allongé, assez de dormir, assez de ce maudit rhume. Il se leva presque d'un bond, se dirigea vers la salle de bains et laissa avec grand plaisir le jet brûlant de la douche couler sur son corps. Puis, chantonnant, il se sécha vigoureusement, enfila un jean et un gros pull et sortit.

Dès qu'il eut franchi le seuil de la maison, il huma à pleins poumons l'air chargé de senteurs printanières et, ravi, laissa les rayons du soleil lui caresser le visage.

— C'est un peu tôt pour sortir, lança la jeune femme lorsqu'il la rejoignit. Où est votre manteau ?

— Où est le vôtre ? Allons, il ne fait quand même pas si froid !

— Un point de vue digne d'un habitant de l'Alaska !

— Vous vous habituerez bientôt à notre climat, déclara-t-il, attendri par la vue de son petit nez rouge.

— Je ne resterai pas assez longtemps... Quand je commencerai à m'y faire, il sera temps de repartir.

Il hocha lentement la tête.

— Mmm... vous avez sans doute raison. De toute façon, je pense que vous ne tiendriez pas un hiver entier ici, marmonna-t-il.

Puis il avança vers la balustrade et s'y accouda.

— J'imagine qu'il vous tarde de retourner à Seattle. De retrouver tous ces gens, les voitures, le bruit...

— Je suis chez moi, là-bas. De plus, ma mère me manque. Les quelques coups de fil que je lui ai passés depuis mon arrivée ne suffisent pas à combler son absence. Et je sais aussi que Nathan lui manque beaucoup.

D'un geste vif, Matt se tourna vers elle.

— Faites-la venir !

Cette proposition le surprit lui-même autant que la jeune femme. Abasourdie, elle le dévisagea quelques instants en silence puis secoua la tête.

— Je ne peux pas me le permettre. Si c'était possible, je n'hésiterais pas. Nous en avons déjà discuté. Depuis la mort de Sabrina, ma mère ne se sent pas très bien. Ce long voyage en voiture aurait été très éprouvant pour elle. Elle commence à aller mieux maintenant. Si elle nous rejoignait en avion, elle pense qu'elle supporterait le trajet de retour par la route.

— Vous n'auriez sans doute aucun mal à trouver un billet d'avion à deux cents dollars.

Elle fronça le nez.

— Ce n'est peut-être pas une grosse somme pour vous, mais pour moi oui.

Il hocha la tête et suivit du regard Nathan et Shadow, qui s'éloignaient déjà en courant. Il remarqua au passage que l'enfant aurait eu bien besoin d'une nouvelle veste.

— Quelle profession exercez-vous, à Seattle ?

— Je travaille dans un cabinet juridique.

— Ah ? Je suis très impressionné...

— Il n'y a vraiment pas de quoi, mais j'avoue que mon métier ne me déplaît pas.

— J'ai lu dans un article qu'on gagnait assez correctement sa vie dans ce milieu.

La jeune femme se remit à l'œuvre. Matt observait sa nuque gracile, tendue dans l'effort, et avait beaucoup de mal à réprimer son envie de la couvrir de baisers.

— Je ne me plains pas, répondit-elle au bout d'une minute.

Il haussa les sourcils. Ne venait-elle pas de lui dire qu'elle n'avait pas les moyens d'offrir un billet d'avion de deux cents dollars à sa mère ? Mais bien sûr, un salaire convenable pour une personne seule ne l'était plus quand on avait un enfant à charge...

Toute trace de désir envolée, il avala sa salive. Amy avait peut-être réellement besoin d'argent.

— Nathan m'a dit que vous deviendriez un jour une artiste célèbre.

Il vit ses joues s'empourprer.

— Ce ne sont que des rêves !

— La peinture et le dessin doivent jouer un rôle capital dans votre vie, pour que vous ayez décidé de vous y consacrer tout un été.

— J'avais d'autres raisons de prendre ce congé et de venir à Valdez, répliqua-t-elle d'un ton assez sec.

Elle marqua une pause puis reprit :

— Nous avons tous des rêves, et je pense qu'ils sont tous importants. Mais la réalité l'emporte sur le rêve. Je dois travailler pour subvenir à mes besoins et à ceux de Nathan. Il y a à Seattle deux galeries qui ont manifesté de l'intérêt pour mes toiles, et j'espère que ma production de l'été incitera l'une d'entre elles à m'exposer.

Reportant son attention sur le tableau, elle sourit.

— D'habitude je peins le soir, quand Nathan dort. Ou bien quelques heures pendant le week-end. C'est bien la première fois de ma vie que j'arrive à avoir un rythme aussi soutenu. Comme quoi les rêves deviennent parfois réalité...

Matt vint se placer derrière elle et lui posa la main sur l'épaule. Il sentit la jeune femme frissonner, et cette fois encore, dut faire appel à toute sa volonté pour ne pas se pencher et l'embrasser. Au prix d'un réel effort, il concentra son attention sur la toile.

— Hé... c'est pas mal du tout ! lança-t-il alors, sincère.

— Vous le pensez vraiment ? Ne me dites pas ça pour me faire plaisir. Je veux la vérité !

— La vérité, répéta-t-il tout en lui caressant l'épaule. Eh bien, la voilà : si aucun des propriétaires de ces galeries ne vous propose de vous exposer, j'en déduirai qu'ils sont soit aveugles soit idiots !

Il s'était exprimé d'une voix basse, rauque, et il toussota pour s'éclaircir la gorge.

A ses yeux, le travail d'Amy était en effet remarquable. Elle avait rendu à merveille la beauté sauvage du paysage inondé de lumière.

— C'est incroyable, ajouta-t-il. J'ai l'impression que si je touchais cette eau, je me mouillerais... Il y a un tel souci du détail, une telle recherche dans la palette de couleurs.

Il accentua la pression de ses doigts sur l'épaule de la jeune femme, puis, à contrecœur, s'écarta d'elle.

— Merci.

Elle se tourna vers lui pour lui adresser un sourire qui le fit fondre.

— Je... vais retourner dans le salon, souffla-t-il d'une voix à peine audible.

Soudain inquiète, Amy fronça les sourcils.

— Vous ne vous sentez pas bien ?

— Si, très bien. Très bien...

S'il restait plus longtemps auprès d'elle, il ne résisterait pas au désir de la prendre dans ses bras. Or il n'avait aucune envie de compliquer une situation déjà bien assez complexe.

7.

Le lendemain matin, Amy dormit plus tard qu'à l'accoutumée et lorsqu'elle entra dans la cuisine, elle y trouva Matt en train de charger le lave-vaisselle. Nathan, qui venait de terminer des pancakes préparés par le maître de maison, lui montra son assiette vide.

— J'ai tout fini, Matt. On peut sortir maintenant, Shadow et moi ?

Celui-ci leva les yeux au ciel et acquiesça. Une seconde plus tard, la porte claquait sur les deux inséparables compagnons.

— A croire que le petit déjeuner n'a été inventé que pour tourmenter les jeunes garçons ! railla-t-il.

Amy s'installa à table et se servit.

— Il a besoin de prendre un solide petit déjeuner.

— C'est bien ce que je lui ai dit ! lança-t-il, brandissant d'un geste triomphant la spatule de bois qu'il tenait à la main. Je lui ai dit que...

— ... le petit déjeuner est le repas le plus important de la journée ! s'exclamèrent-ils en chœur.

La jeune femme le dévisagea, stupéfaite.

— Vous lui avez vraiment dit *ça* ?

— Hmm... oui. Pourquoi ?

— On croirait entendre un père de famille !

Gêné, il se pencha au-dessus du lave-vaisselle, et la jeune femme finit de déjeuner en silence. Elle attendit qu'il se fût redressé pour formuler le fond de sa pensée.

— Nathan a besoin de vous, Matt. Il a besoin d'un père. Je sais, vous pensez que ce Derek est son père, mais je suis persuadée que c'est faux. Sabrina ne m'aurait jamais menti sur un sujet aussi important.

Il lâcha un rire caustique.

— Notre mariage était placé sous le signe du mensonge ! Votre sœur s'est bornée à m'utiliser.

La jeune femme soupira.

— Laissez-moi vous parler d'elle. Sabrina était très égoïste, voire égocentrique, mais elle était aussi l'une des rares personnes sur terre à ne pas se voiler la face. Elle savait ce qu'elle valait, ce qu'elle voulait, et elle a sans doute décidé de mettre un terme à votre union pour vous éviter le pire à tous les deux.

Adossé au comptoir, la mine renfrognée, il plongea les mains dans les poches de son jean et attendit la suite.

— A son retour d'Alaska, elle était enceinte et fraîchement divorcée. Elle voulait terminer ses études, rencontrer un médecin, l'épouser et mener une existence confortable. Afin de tourner le dos au passé. Quand elle m'a dit que vous ne vouliez pas entendre parler de cet enfant, je n'ai pas insisté, pensant que cela l'aiderait à couper les ponts et à s'investir dans le présent. Je ne me doutais pas, évidemment, que vous étiez convaincu que ce bébé n'était pas le vôtre. Je pense que j'aurais dû, à ce moment-là, me montrer moins crédule, lui poser davantage de questions.

Elle s'interrompit et haussa les épaules.

— Mais j'étais persuadée que cette solution vous convenait à tous les deux.

Matt garda le silence, puis se rapprocha d'elle.

— Je vous dois des excuses.

— Non, je...

— Si ! Quand vous êtes venue me voir, j'ai pensé que vous étiez la réplique exacte de Sabrina. Que vous ne cherchiez qu'à m'utiliser. Et je me suis trompé sur toute la ligne !

Il inspira profondément avant d'ajouter :

— Si Sabrina vous avait ressemblé ne serait-ce qu'un peu, je regretterais aujourd'hui encore de l'avoir perdue.

Sur ce, il tourna les talons et disparut.

Amy fut sur le point de le poursuivre et de crier qu'il se trompait. Elle n'avait rien d'une sainte ! Elle s'efforçait seulement d'agir pour le mieux et commettait son lot d'erreurs, comme tout le monde.

Puis elle baissa les yeux et se passa la langue sur les lèvres. Ses propos signifiaient qu'il avait confiance en elle, qu'il l'appréciait.

Peut-être même plus...

Ce soir-là, après une journée de dur labeur, comme il se sentait encore plein d'énergie, Matt décida de couper du bois. La maison était chauffée au gaz, mais il faisait du feu tous les soirs en hiver, et veillait donc à avoir toujours des réserves.

Il se rendit dans la cabane où il rangeait ses outils, et n'y trouva pas sa hache, ce qui le surprit. D'habitude il la rangeait toujours sur la même étagère. Il fouilla le garage, sans plus de succès. De plus en plus étonné, il se dirigea vers la maison.

— Vous n'auriez pas vu ma hache, par hasard ? demanda-t-il à Amy.

La jeune femme leva les yeux du livre qu'elle lisait et secoua la tête.

— Non.

Nathan, lui, glissa de son fauteuil et se dirigea vers la porte du salon sans regarder Matt.

— Nathan !

L'enfant se figea à quelques centimètres du seuil, puis se tourna vers lui, évitant toujours de croiser son regard.

— Je suppose que tu ne sais pas où se trouve ma hache ?...

Le garçonnet avala sa salive.
— Je... si, je le sais, murmura-t-il.
Matt sentit la colère flamber en lui. Une colère à laquelle se mêlait une peur rétrospective. Il n'aimait certes pas qu'on touche à ses outils, mais, bien pis encore, le gamin aurait pu se blesser grièvement.
— Une hache n'est pas un jouet, déclara-t-il d'un ton menaçant. Qu'as-tu fait avec ?
Nathan lui répondit par un haussement d'épaules.
— Bon sang, tu ne te rends donc pas compte que tu aurais pu te faire très mal ?
Matt s'exprimait d'un ton sévère, bien plus dur qu'il ne l'aurait voulu.
— Je devrais te punir ! J'ai peine à croire que tu...
— Matt, intervint Amy, je suis sûre que...
— Que quoi ? coupa-t-il, toujours furieux. C'est une affaire entre Nathan et moi. Et où étiez-vous quand ça s'est produit ? Il aurait pu se trancher le pied, perdre son sang...
La jeune femme le dévisageait, médusée. Si Matt était conscient d'exagérer l'importance des faits, il ne parvenait cependant pas à endiguer le flot de rage qui déferlait en lui.
— Arrêtez de l'embêter ! lança alors Nathan en venant se placer devant sa tante. Laissez-la tranquille.
L'enfant le fixait, les poings serrés, l'œil noir.
Matt avança d'un pas.
— On ne t'a donc jamais dit que les enfants ne répondent pas aux grandes personnes ?
Amy s'apprêtait à répondre quand Nathan la devança.
— Oui, on me l'a dit ! Mais vous avez pas à crier comme ça après Amy. C'est pas elle qui vous a pris votre hache, c'est moi. Et je regrette...
Matt le foudroyait toujours du regard.
— Vous êtes méchant !
— Nathan ! intervint Amy, affolée par l'ampleur que prenait cet incident. Ça suffit maintenant.

Le garçonnet redressa le menton.

— C'est vrai, il est méchant ! C'est pas parce que vous êtes plus grand que nous que vous avez le droit de nous marcher sur les pieds ! Vous êtes méchant, répéta-t-il, têtu, et ça me plaît pas du tout qu'on soit obligés d'habiter chez vous. Ça m'est égal que vous ayez été l'ami de ma maman. Je vous aime pas !

Il partit en courant vers le couloir et claqua la porte de sa chambre derrière lui.

Matt était blême. Il luttait contre son désir de rejoindre le petit garçon.

— Matt...

Amy avançait vers lui, mais il l'arrêta d'un geste de la main, tourna à son tour les talons et quitta la maison, suivi de Shadow. Il se dirigea à grands pas vers la forêt. L'air vif de cette fin de journée avait sur lui un effet apaisant, et il regrettait maintenant de s'être emporté comme il l'avait fait. Pourtant, si le gamin s'était blessé, il aurait pu se vider de tout son sang avant qu'Amy s'inquiète de son absence.

Cette pensée lui donna la nausée. Si cela s'était produit... Non, il refusait d'imaginer une chose pareille. Il ne supporterait pas qu'il arrive malheur à ce petit, parce que... Il ralentit l'allure. Eh bien, parce que... Nathan était un chouette gosse. Une fois de plus, pour soutenir sa tante, il n'avait pas eu peur de braver sa colère.

Il sourit au souvenir de la scène qui venait de se dérouler. S'il pouvait choisir un fils, il choisirait Nathan.

Il s'arrêta net, affolé par le cours de ses pensées. Pourtant c'était vrai. Il serait fier d'appeler Nathan « mon fils ». Mais mieux valait ne pas y songer, car c'était là quelque chose qui ne se produirait jamais. S'attacher à ce garnement était un risque qu'il préférait ne pas courir.

Il soupira et s'efforça de concentrer son attention sur ce qui s'était passé. Il s'était montré beaucoup trop brutal envers Nathan et Amy. Ceux-ci n'avaient probablement pas conscience du danger que l'enfant avait encouru. Dans son appartement de Seattle, Amy ne possédait sûrement pas de hache ! Elle n'avait même sans doute jamais eu l'occasion de s'en servir. Quant à Nathan, c'était un garçon de la ville, qui avait grandi sans père, situation que Matt ne connaissait que trop.

Il resta un long moment immobile, à contempler le balancement des branches sous la brise du soir.

Lorsqu'il revint à la maison, il se dirigea aussitôt vers la chambre du garçon. Amy était assise sur le rebord du lit. Elle leva vers lui un regard interrogateur tandis que Nathan se figeait.

Remarquant que la jeune femme était sur le point d'intervenir, il tendit la main pour la réduire au silence.

— Ne vous en mêlez pas, s'il vous plaît. Ça nous concerne tous les deux.

Comme elle hésitait encore, il ajouta :

— Faites-moi confiance...

Elle finit par acquiescer et quitta la pièce.

Les lèvres tremblantes, les yeux grands comme des soucoupes, Nathan était recroquevillé dans son lit. Constater qu'il inspirait une telle peur à l'enfant n'était pas pour plaire à Matt. Loin de là, même.

— Si nous allions chercher cette hache ? suggéra-t-il gentiment. Ne t'inquiète pas, je ne te gronderai plus.

Le garçonnet hésita, ce qui accrut son sentiment de malaise, puis il se leva en silence et lui emboîta le pas. Postées à la fenêtre du salon, Amy et Shadow les regardèrent sortir de la maison.

Lorsque Nathan rendit la hache à son propriétaire, celui-ci s'agenouilla devant lui, et, tenant toujours l'outil à la main, lui sourit.

— T'es-tu déjà servi d'une hache ?

L'enfant secoua la tête.

— Voudrais-tu que je t'apprenne à t'en servir ?

Matt sourit presque, face à l'enthousiasme qui jaillit soudain dans les yeux de Nathan tandis qu'il acquiesçait.

— Je vous dois des excuses, à Amy et à toi, reprit-il sans le quitter du regard. J'ai bien peur de m'être énervé plus que de raison... Mais ça ne signifie pas pour autant que je considère avoir eu tort. A l'avenir, ne touche jamais à une hache sans en avoir demandé la permission. Compris ?

Nathan fit oui de la tête.

— Vois-tu, j'ai crié très fort parce que tu aurais pu te blesser, et gravement. Mais je n'étais pas obligé de hausser la voix pour te dire ces choses-là. Tu as eu raison de me tenir tête et de protéger Amy. Sache que j'admire ton attitude.

— C'est vrai ? lança l'enfant, éberlué.

— Oui.

— Amy et moi, on s'aime beaucoup, beaucoup, déclara-t-il d'un ton solennel.

— C'est bien ce que j'ai cru remarquer.

— Parce qu'on est plus que tous les deux. Avec mamie, bien sûr.

— Tu as de la chance. C'est bon d'avoir une famille si unie.

— Mmm... Mais des fois, Amy elle s'énerve drôlement elle aussi.

Matt éclata de rire.

— Je le sais !

— Ah ? A vous aussi elle vous a fait le coup du doigt ? s'enquit-il, amusé, enfonçant l'index dans la poitrine de Matt.

— Et comment !

L'enfant rit à son tour, et Matt ressentit une curieuse émotion.

— J'ai bien compris que tu n'étais pas très content d'être ici.

Le visage du garçonnet exprima de nouveau la crainte, et Matt lui posa la main sur l'épaule.

— Hé, calme-toi. Il faut du temps pour connaître les

gens. D'autant que je suis conscient de ne pas être quelqu'un de très ouvert, mais...

Il marqua une pause.

— Dans la mesure où tu vas rester un peu plus longtemps ici, nous pourrions essayer de faire la paix. Peut-être même, de devenir amis.

Ils se dévisagèrent intensément pendant les instants qui suivirent.

— Bon, fit enfin le jeune garçon avec un haussement d'épaules.

— Parfait. Serrons-nous la main entre hommes ! Et maintenant, suis-moi, je vais te montrer comment on se sert d'une hache.

Dissimulée derrière le rideau de la cuisine, Amy poussa un soupir de soulagement lorsqu'elle vit Nathan et Matt s'éloigner côte à côte vers la cabane où il rangeait le bois. Le cœur serré, elle continua à les observer et se mordit la lèvre lorsque Matt tendit une petite hache à l'enfant, puis se pencha et le prit presque dans ses bras pour le guider dans ses mouvements.

Elle laissa retomber le rideau et soupira. En ce moment même, elle aurait tant voulu être elle aussi dans ses bras...

Depuis que Nathan était venu vivre sous son toit, suite à la décision du juge pour mineurs, sa vie sociale, déjà assez restreinte jusque-là, avait été réduite à néant. Ses heures de loisirs, elle les passait avec son neveu, sa mère, ou encore à peindre.

La proximité de Matt l'obligeait à constater qu'il y avait un vide dans son existence. Un vide que seul un homme comblerait. Elle s'apercevait soudain qu'elle avait envie de partager ses jours et ses nuits avec quelqu'un. Quelqu'un qui serait son ami, son amant. Quelqu'un avec qui elle ferait des projets, auprès de qui elle vieillirait. Le temps passait si vite...

Le bruit d'une porte qui se refermait la tira de sa rêverie. Nathan fit irruption dans la cuisine, l'œil luisant, les joues roses.

— Matt il m'a montré comment il faut se servir d'une hache, et il a dit que je pourrais peut-être l'aider à couper du bois demain. Si tu veux bien...

Amy avança vers lui, souriante, et lui ébouriffa les cheveux. Son regard se porta alors sur Matt, qui se tenait à l'arrière-plan, silencieux.

— Et je prendrai plus jamais la hache sans demander la permission.

L'enfant lui tendit les bras et elle le serra contre elle avant de l'embrasser.

— Parfait. Et maintenant, il est temps d'aller au lit, jeune homme !

Comme il s'apprêtait à protester, elle le poussa d'un geste ferme en direction du couloir.

— Allez, file !

— Bon... Je vais choisir une histoire !

Elle attendit qu'il eût disparu dans sa chambre pour s'adresser à Matt.

— Alors, vous vous êtes réconciliés tous les deux ?

— Oui. C'est un brave gosse... Je n'aurais pas dû m'emporter comme ça tout à l'heure, mais sur le moment j'étais incapable de me contrôler. Et puis j'ai lu la frayeur dans ses yeux, et je me suis fait l'effet d'un monstre.

— Il s'en remettra. Vous savez, il m'arrive à moi aussi de m'énerver. Rassurez-vous, ce n'est pas la première fois qu'il essuie de sévères remontrances. C'est courageux de reconnaître ses erreurs, mais ne culpabilisez pas. Vous avez réagi comme il le fallait, et vous vous êtes très bien tiré d'affaire.

A ce moment-là, elle fut tentée de franchir la distance qui les séparait, de l'étreindre, mais elle jugea plus prudent de lui fausser compagnie.

*
**

Le lendemain, debout sur la terrasse, elle observait « ses » deux hommes qui coupaient du bois, au fond du jardin. Un sourire se dessina sur ses lèvres.

Matt était un homme solide, aussi beau, sauvage et mystérieux que la terre qu'il avait choisie. Un homme auprès duquel il ferait bon vivre.

Sabrina avait été folle de le quitter.

Shadow vint se frotter contre sa jambe, et, d'une main distraite, la jeune femme caressa l'animal.

— Je crois que je suis en train de perdre la raison, ma belle, chuchota-t-elle en riant à l'adresse de la chienne. Si ton maître avait la moindre idée de ce que je pense, il me renverrait à Seattle sans plus tarder ! Allez, cessons de divaguer !

Elle s'assit à son chevalet et se mit à l'œuvre, résolue à ne plus songer à Matt. Pourtant, il revenait à intervalles réguliers hanter son esprit. Une chose était sûre : il la désirait. Elle n'était toutefois pas du tout certaine que ce désir était suscité par un sentiment plus profond. D'ailleurs, était-ce là ce qu'elle souhaitait ?

Son pinceau s'immobilisa. Ne serait-elle pas en train de tomber amoureuse de Matt Gray ?

— Te voilà dans de beaux draps, ma fille ! marmonna-t-elle.

Car elle avait la très nette sensation qu'il mettait tout en œuvre pour les tenir à distance, Nathan et elle. A croire qu'il cherchait à tout prix à éviter que se créent des liens trop forts. Avait-il donc tant souffert, pour craindre d'aimer de nouveau ?

Il croyait même ne pas être capable de faire un bon père. Dieu, comme il se trompait ! S'il avait pu se voir en ce moment même, avec Nathan...

Le lendemain matin, après avoir terminé son petit déjeuner, Nathan s'éclaircit la voix.

— Je peux aller avec vous sur le bateau, aujourd'hui ? murmura-t-il, sans oser croiser le regard de Matt.

Un sourcil levé, ce dernier dévisagea Amy, qui haussa les épaules en souriant.

— Il me semble qu'il va pleuvoir, observa-t-il.

L'enfant afficha aussitôt une mine déçue.

— Oh...

— Est-ce que tu as un ciré et des bottes en caoutchouc ?

Le garçonnet hocha la tête avec une vigueur telle qu'il manqua se cogner le menton à la table.

— Dans ce cas, je n'y vois aucun inconvénient...

Il se pencha vers lui, avec des airs de conspirateur, et lui souffla à l'oreille :

— Tu pourrais peut-être convaincre Amy de nous préparer un déjeuner avec les restes de ce délicieux rosbif que nous avons mangé hier ?

La jeune femme esquissa un sourire amusé.

— Oh oui ! Tu veux bien, Amy, s'il te plaît ?

Elle acquiesça en riant, et soudain Matt rit à son tour. Emerveillée, elle se laissa bercer par la chaleur de ce rire masculin.

— Allez, file chercher tes affaires. Je débarrasse la table pendant que vous préparez le déjeuner, Amy.

Elle ouvrit le réfrigérateur, puis s'installa au comptoir et se mit à préparer des sandwichs.

— Merci d'avoir accepté de l'emmener avec vous.

Matt haussa les épaules.

— Ça lui fera du bien de bouger un peu.

— Il vous aime bien.

— Ah bon ? lança-t-il, sceptique. Il y a deux jours à peine il ne pouvait pas me supporter !

Elle secoua la tête.

— Non. Il réagissait à une situation précise. Voyez-vous...

Elle s'interrompit pour chercher ses mots.

— Il a toujours manqué une présence masculine dans la vie de Nathan. Mon père est mort avant qu'il naisse, et Eric ne s'intéressait qu'à Sabrina. Il ne sait donc pas trop comment réagir en présence d'un homme. Une partie de lui réclame l'attention masculine, l'autre redoute l'inconnu. J'ai bien peur que mes explications ne soient pas très claires..., conclut-elle avec un froncement de sourcils.

— Ne vous inquiétez pas, je comprends ce que vous voulez dire.

Songeuse, Amy étala de la mayonnaise sur les tranches de pain de mie.

— Je m'inquiète au sujet de Derek.

Matt referma le lave-vaisselle et rejoignit la jeune femme.

— Pourquoi ?

Elle s'éclaircit la voix.

— Je ne pense pas qu'il soit... Mais supposons que je me trompe, que ce soit lui le père de Nathan. Si... s'il en réclamait la garde ? Je ne veux pas le perdre, Matt ! Croyez-vous que... qu'il...

Il lui souleva le menton et, pendant quelques secondes, leurs regards restèrent soudés. Puis il lui sourit, et Amy se sentit aussitôt réconfortée.

— Vos craintes ne sont pas fondées. Je serais prêt à parier que Derek ne revendiquera jamais la garde du gamin.

Elle cligna des paupières.

— Et si... s'il est votre fils ?

— Je suis sûr que cet enfant n'est pas de moi, Amy. Mais si c'était le cas... vous n'avez aucun souci à vous faire. Je n'arracherais sûrement pas Nathan à l'univers dans lequel il a toujours vécu, alors que je doute d'avoir les qualités requises pour être un bon père.

Il lui caressa la joue, et se pencha vers elle. Figée, elle vit ses lèvres se rapprocher des siennes, puis sentit leur contact à la fois ferme et doux, chaud, merveilleux.

— Nous ne devrions pas..., souffla-t-il, tout en lui caressant la nuque.

— Mmm...

Il enfouit le visage dans son cou et s'imprégna du délicieux parfum de sa peau.

— Ça ne nous mènera à rien. C'est...

Il fut incapable d'en dire plus long car leurs bouches se joignaient de nouveau, comme aimantées.

A ce moment-là, le pas de Nathan retentit dans le couloir. Ils n'eurent que le temps de s'écarter l'un de l'autre.

— Ça y est, je suis prêt ! s'exclama le garçonnet, tout excité.

— Eh bien... allons-y !

Matt se passa la main dans les cheveux et se dirigea vers la porte. Sur le seuil, il se tourna vers la jeune femme, qui le fixait, les joues encore toutes roses.

— Inutile de préparer à manger ce soir. Je vous invite à dîner !

Au volant de la camionnette, Matt réprima un soupir. Quelle que soit son attirance pour la jeune femme, il devait se tenir sur ses gardes.

Son échec avec Sabrina ne lui avait-il donc pas suffi ? Que voulait-il ? Traverser une fois encore les affres de la discorde et de la séparation ?

A l'avenir, il se montrerait plus vigilant.

8.

Amy était prête lorsqu'ils rentrèrent.

— Regarde ! s'écria Nathan, en dansant d'un pied sur l'autre pour lui faire admirer ses nouveaux bottillons de cuir. Il m'a acheté des chaussures, Matt. Il a dit que sans ça, j'aurais bientôt les orteils qui sortiraient de mes baskets !

L'enfant ponctua cette tirade d'un éclat de rire joyeux, et elle se tourna vers Matt, qui observait la scène, un sourcil levé.

— Je lui ai aussi acheté un jean et des chaussettes, déclara-t-il d'un ton bourru, comme s'il s'attendait à ce qu'elle proteste.

— Merci, fit-elle avec un sourire.

Elle donna un bain rapide à Nathan et l'habilla pendant que Matt se douchait, puis ils partirent.

Des odeurs très appétissantes flottaient dans le petit restaurant où régnait une atmosphère chaleureuse. Comme ils se dirigeaient vers une table, Matt sentit des regards curieux braqués sur eux trois.

Tout émoustillé, Nathan insista pour s'asseoir à côté de Matt, et rapprocha davantage encore sa chaise de la sienne, ce qui fit naître un sourire attendri sur les lèvres de la jeune femme. Troublé, Matt sut gré à la serveuse de leur apporter la carte. Ils étaient en train de la consulter, quand soudain il se rappela sa rencontre avec Hannah et claqua des doigts.

— Mon Dieu, j'allais oublier... J'ai croisé Hannah ce matin. Elle a une boutique tout près du port, où elle vend surtout des objets destinés aux touristes.

— Oui. Et alors ?

— Elle expose aussi des artistes du coin. Bien évidemment, elle prend une commission sur les ventes. Elle a entendu parler de vous, et elle se demandait si ça vous dirait de déposer certaines de vos toiles chez elle.

La jeune femme le dévisagea, éberluée.

— Vous... parlez sérieusement ? murmura-t-elle enfin.

Il hocha la tête en souriant.

— Oui. Il faudrait que vous alliez la trouver et que vous discutiez avec elle des détails. La boutique est certes en vente, mais après tout vous n'avez rien à perdre.

— Je... ne suis pas d'ici.

— Soit, mais pour l'instant vous résidez en Alaska. Dans la mesure où ça n'a pas l'air de gêner Hannah, pourquoi est-ce que ça vous gênerait, vous ?

Il se pencha vers elle.

— Je sais bien que vous rêvez d'exposer dans une galerie de Seattle. Mais ce serait un bon début, vous ne pensez pas ? Si toutefois vous avez assez de matériel pour exposer...

— Oui, bien sûr, déclara-t-elle, comme dans un rêve. J'ai pas mal d'esquisses d'animaux qui intéresseraient sûrement les touristes, et aussi des paysages.

— Evitez de pratiquer des tarifs trop élevés. Les touristes aiment bien rapporter chez eux des souvenirs de notre région, mais ils aiment aussi marchander. Hannah vous en parlera mieux que moi.

Elle soupira et battit des mains.

— Oh, Matt... c'est formidable ! Je suis si impatiente... Merci. Merci mille fois !

Gêné, il détourna le regard.

— Bah, je n'y suis pour rien.

— Ça veut dire que tu vas devenir une artiste pour de vrai, Amy ? lança le garçonnet.

— Ce serait un début.

— Et que tu pourrais arrêter de travailler ?

— Non, pas encore.

— Oh... Dommage. Je pensais que...

Amy et Matt étaient suspendus à ses lèvres.

— Oui ? insista la jeune femme.

— Eh ben, je me disais que, si tu devenais une artiste pour de vrai, tu travaillerais plus, et que... qu'on resterait ici, finit-il en lançant un regard à Matt.

Ce dernier afficha un air extrêmement surpris.

Amy cligna des paupières et prit la main du garçonnet.

— Je ne pense pas que cela se produise, mon cœur. Nous devons rentrer à Seattle à la fin de l'été. Il faut que je reprenne mon travail, que tu ailles à l'école... Et mamie, tu l'avais oubliée ? Tu ne voudrais quand même pas qu'elle reste toute seule là-bas, non ?

— Non. Mais elle pourrait venir ici...

— Je propose que nous en reparlions plus tard, d'accord ?

— Bon...

Soudain, Matt ressentit un pincement au cœur. De toute évidence, il avait mûri ce projet avant de leur en faire part. Et maintenant, ses espoirs se retrouvaient réduits à néant.

La serveuse apporta les plats qu'ils avaient commandés : un cheeseburger avec des frites pour Nathan, et de superbes entrecôtes pour les adultes. Nathan ne souffla mot pendant le repas. La dernière frite avalée, il repoussa son assiette et se frotta le ventre.

— Ouf, j'en peux plus ! s'exclama-t-il, la bouche rouge de ketchup.

Il sourit à Amy, puis à Matt, et ses yeux se rétrécirent tandis qu'il fixait ce dernier.

— Où il habite, votre père ?

Matt baissa les yeux et se passa la langue sur les lèvres.

— Nathan..., commença la jeune femme.

— Non, laissez.

Il reporta son attention sur le garçonnet, qui dardait toujours sur lui un regard intense.

— Je n'ai jamais connu mon père, Nathan. Je ne sais même pas où il vit.

Il n'osait pas se tourner vers Amy, de crainte de lire de la pitié dans ses yeux.

La petite bouche charnue de Nathan s'arrondit.

— Alors, vous êtes comme moi ! Moi non plus j'ai pas de papa.

Matt ne trouva pas le courage de répondre. Il avait l'impression qu'on venait de lui asséner un coup de poing magistral à l'estomac.

— Et je le regrette drôlement, poursuivit l'enfant avec un soupir à fendre l'âme. J'aimerais tellement avoir un papa...

Matt baissa la tête. La voix et le regard de Nathan l'obligeaient à remonter le temps. Il se revoyait lui-même à cet âge-là, nourrissant les mêmes rêves.

— Et votre maman, où elle est ? reprit le garçonnet. Elle habite ici ?

— Non, elle vit à Los Angeles.

— C'est vrai ? Alors on est un peu pareils, tous les deux, à part que moi j'en ai plus du tout, de maman. Heureusement qu'on a Amy !

Cette remarque ingénue provoqua son hilarité. Puis il croisa le regard de la jeune femme et redevint sérieux.

— « On » n'a pas Amy, Nathan. Toi, *tu* l'as.

L'enfant secoua la tête en riant.

— Mais on peut partager. Amy elle dit toujours qu'il faut partager. Ça t'embêterait pas, hein, Amy ?

Celle-ci ne put s'empêcher de sourire.

— Je suppose que nous pourrions peut-être trouver un arrangement...

Un arrangement ? Qu'entendait-elle au juste par là ?

« Ne sois pas idiot, mon vieux ! lui souffla sa petite

voix. Elle n'a dit ça que pour entrer dans le jeu du gamin. Seul un parfait crétin y verrait autre chose... »

— Hé, Matt ! Je t'ai pas vu entrer.

La voix joviale de Tom le tira brusquement de ses pensées.

— Enchanté, mam'zelle. Tom Johnston, pour vous servir.

Il adressa un clin d'œil à Matt et poursuivit avec un grand sourire :

— Je comprends mieux maintenant pourquoi il vous cache, le petit malin ! Dis-moi, mon gars, tu en as beaucoup d'autres comme ça, chez toi ? Un peu moins jeunes, bien sûr... Et je suppose que voilà Nathan ? Un solide garçon ! Presque aussi baraqué que Matt le jour où on l'a vu pour la première fois sur les quais ! Quel âge tu avais, Matt ? Seize ans ? Il a juste un tout petit peu grandi depuis !

Amy et Nathan éclatèrent de rire tandis que Matt secouait la tête et faisait mine de menacer du doigt son vieil ami.

— Allez, il faut que j'y aille. Dis donc, Matt, si vous passiez à la maison tout à l'heure ? J'ai quelque chose que ce petit chenapan aimerait sûrement bien voir. Allez, à tout à l'heure !

— Quelle personnalité ! lança Amy dès qu'il eut disparu.

— Comme vous dites ! Je n'ai jamais compris comment il s'y prenait, mais il peut entrer dans une salle remplie de gens qu'il ne connaît pas, et être en train de bavarder avec tout le monde dix minutes plus tard.

— C'est quoi, ce « quelque chose » que j'aimerais voir ? s'enquit Nathan, l'œil luisant de curiosité.

Matt observa le petit visage dressé vers lui, et éprouva une brusque bouffée de tendresse.

— J'imagine qu'il voulait dire par là que Princess a eu des chiots.

— Oh, on peut aller les voir? S'il vous plaît?...

Matt haussa les épaules et désigna Amy du menton.

— S'il te plaît, Amy! S'il te plaît, s'il te plaît!

— D'accord, je me rends! Mais nous ne resterons pas très longtemps parce qu'il est déjà tard.

— Nathan était enchanté. Merci de nous avoir accompagnés.

Ils rentraient maintenant à la maison. Installé entre eux deux, l'enfant s'était endormi dès que Matt avait démarré.

— Il y a toutefois un léger problème, ajouta-t-elle en souriant : maintenant il va me harceler pour que nous ayons un chien!

Elle fronça le nez.

— J'aimerais beaucoup lui faire plaisir, mais notre appartement est minuscule, et de toute façon le gérant de l'immeuble refuse la présence d'animaux.

Le garçonnet poussa un soupir de bien-être et vint se blottir contre Matt, comme un chiot cherchant la chaleur de sa mère. Matt baissa les yeux sur lui. Dans son sommeil, il paraissait encore plus fragile qu'à l'accoutumée.

— Il vous dérange?

— Pas du tout.

En fait, le contact de ce petit corps tout tiède le comblait d'un bonheur paisible et doux, jamais soupçonné jusque-là.

Le silence s'installa dans la cabine. Jusqu'à ce qu'Amy, qui regardait par la fenêtre, le rompît.

— Le paysage change si vite, ici... Quand je suis arrivée, il y avait encore de la neige, et maintenant, tout est vert.

— Le printemps tarde à arriver chez nous. On a l'impression que la neige ne fondra jamais. Et puis soudain, il y a une explosion de verdure. Ça se produit presque du jour au lendemain.

La jeune femme secoua la tête en riant.

— C'est curieux, mais je pense que Valdez me manquera. Le port, les montagnes environnantes, la lumière si particulière. Tout est ici d'une beauté poignante. Ce coin est une source d'inspiration permanente qu'une vie entière ne suffirait pas à épuiser.

Restez.

Matt n'eut que le temps de se ressaisir avant que ce mot franchisse ses lèvres. Ils ne parlèrent plus jusqu'au moment où il se gara devant la maison. La jeune femme posa alors la main sur l'épaule de Nathan et le secoua doucement.

— Hé... il faut que tu te réveilles maintenant, petite marmotte !

L'enfant marmonna quelques syllabes inintelligibles dans son sommeil, et se serra davantage encore contre Matt.

— Bon, fit-elle en souriant, je crois qu'il va falloir que je le porte !

— Laissez, je m'en occupe.

Cette proposition la surprit, et elle l'observa tandis qu'il soulevait avec précaution la petite silhouette dans ses bras.

Lorsque Matt installa l'enfant dans son lit, il ressentit une sensation de vide qui le désarçonna. Les sourcils froncés, il quitta la chambre. L'idiot ! Il n'allait tout de même pas s'attacher à ce gamin...

Le lendemain soir, assis à table, tout près de Matt, Nathan lui raconta sa journée avec Amy. Il lui dit qu'ils avaient découvert un nid d'aigle, qu'ils avaient même vu un phoque sortir la tête hors de l'eau, et aussi... De temps en temps il lui posait la main sur le bras pour s'assurer qu'il avait bien toute son attention.

Amy qui assistait, amusée, à ce manège leur servit à

chacun une généreuse part de pizza faite maison. Elle remarqua que Matt l'observait à la dérobée.

Après dîner, ils se retirèrent tous trois dans le salon, ce qui était devenu une habitude. Nathan avait attendu que Matt prît place sur le canapé pour venir s'installer le plus près possible de lui. Ce dernier haussa un sourcil mais ne souffla mot.

La jeune femme écrivait à une amie. Nathan lisait, et Matt tenait, lui, un livre ouvert sur ses genoux. Couchée à ses pieds, Shadow ronflait doucement. Un vrai tableau de famille.

Il souleva légèrement la tête pour observer Amy à la dérobée. En cet instant précis, il se demanda combien d'hommes trouveraient Sabrina plus jolie que sa sœur. Amy avait une beauté sereine à laquelle il était chaque jour un peu plus sensible. Un sourire de sa part, un regard suffisaient à mettre ses sens en éveil.

— Allez, Nathan, l'heure du coucher a sonné, déclara-t-elle alors. Choisis un livre et je te lirai une histoire.

L'enfant se rembrunit.

— Ça y est, je l'ai choisie. Et je veux pas que tu me la lises toi, l'histoire ! Je... j'aimerais mieux que ça soit Matt.

Matt ressentit un curieux pincement au cœur. Nathan attendait calmement, ses grands yeux bruns luisants d'espoir posé sur lui.

— Ecoute, mon chéri... Matt a peut-être envie de lire « son » livre...

Les épaules du garçonnet s'affaissèrent. Il baissa les yeux, mais pas avant que Matt n'y voie scintiller des larmes.

— J'y vais, déclara-t-il en se levant.

Nathan poussa un cri de joie et partit au pas de course vers sa chambre.

— Vous n'êtes pas obligé de...

— J'ai dit que j'y allais ! Je... n'ai pas une grande expérience en la matière, mais...

Soudain il se sentit très mal à l'aise, ridicule même.

Amy lui adressa ce merveilleux sourire qui le faisait fondre.

— Je suis certaine que vous vous en tirerez à merveille. Courage ! Pendant ce temps, je vais sortir me promener avec Shadow.

Il avala sa salive et regagna la chambre où l'attendait Nathan, déjà en pyjama et au lit, un livre ouvert posé à côté de lui.

— C'est celle-là, d'histoire, que je préfère ! déclara-t-il, le doigt tendu.

Lorsque la jeune femme revint, Matt venait tout juste de terminer sa lecture, et le silence régnait dans la maison. Elle traversa le couloir à pas feutrés et passa la tête à la porte de la chambre.

— Il lit drôlement bien, Matt, déclara l'enfant d'une voix endormie. Pas aussi bien que toi, Amy, mais presque.

Sur ce, il tendit les bras vers Matt et l'embrassa très fort.

— Bonne nuit, Matt, bonne nuit, Amy.

Il remonta alors ses couvertures et ferma les yeux.

Les deux adultes quittèrent la pièce sur la pointe des pieds. Matt avait l'impression de sentir encore contre lui le contact du petit corps si souple, si tiède. Soudain, il éprouva le besoin impérieux de sortir. Sans mot dire, il quitta la maison, et, suivi de Shadow, traversa le jardin. La brise fraîche du soir eut sur lui un effet rassérénant. Il marcha, au hasard, puis s'assit au pied d'un arbre. Les bruits de la nuit résonnaient tout autour de lui.

Il était en proie à des sensations bizarres, troublantes, qui ne lui plaisaient guère. Bon sang, il n'avait pas l'étoffe d'un père ! Et ce gamin n'était même pas le sien. Pourtant, comment décrire le flot d'émotions qui l'assaillait lorsque ce diable de gosse venait se blottir contre lui ?

Amy et Nathan avaient rallumé en lui la flamme de la vie. Une flamme qu'il aurait eu bien du mal à éteindre...

⁂

Au fur et à mesure que les minutes s'égrenaient, le silence qui régnait dans le salon s'épaississait. Cédant à son impulsion, Amy sortit à son tour et finit par retrouver Matt, au fond du jardin.

Elle chuchota son nom avant de s'asseoir à côté de lui et de lui poser la main sur l'épaule.

— Ça va?...

Il secoua la tête et soupira.

— C'est... insensé ! Ce môme n'est même pas de moi ! Si j'avais un brin de jugeote, je vous mettrais tous les deux à la porte, et croyez-moi, ce serait vous rendre un fier service ! Je ne pourrai jamais rien lui apporter de bon.

— C'est faux, déclara-t-elle d'un ton ferme. Nathan a besoin d'un père. D'un homme comme vous, qui...

— ... ne connaît rien à la paternité ? J'en doute !

Elle lui sourit.

— Je crois que je comprends, du moins un peu, ce que vous ressentez. Nathan vous a attribué un rôle auquel vous n'êtes pas habitué et qui vous affole. Contrairement à ce que pensent beaucoup de gens, on ne se sent pas à l'aise du jour au lendemain dans le rôle de parent. Il faut s'y faire...

— Vous avez l'air d'avoir parfaitement réussi, pour ce qui vous concerne !

— J'ai assisté à la naissance de Nathan, ce qui signifie qu'il y a un bon moment que je le pratique. Pourtant, quand il est venu vivre sous mon toit, ça n'a pas été évident. J'ai moi aussi souvent douté de mes compétences. Et il m'arrive aujourd'hui encore de me poser des tas de questions.

Matt se passa la main sur le visage.

— Quand j'ai rencontré Sabrina, j'ai été aussitôt attiré par elle. Je me suis lancé à corps perdu dans cette histoire. Ce n'est que plus tard, quand j'ai commencé à la connaître davantage, que j'ai saisi l'étendue de mon erreur. Et je me suis alors juré de ne plus jamais m'investir, affectivement parlant.

La jeune femme esquissa une grimace.

— Je persiste à croire que vous vous trompez au sujet de Sabrina, Matt. Je n'étais pas là, donc je ne sais pas exactement ce qui s'est passé, mais ma sœur ne vous aurait jamais épousé si elle n'avait pas éprouvé quelque chose pour vous.

Il accueillit ces propos par un rire amer.

— Elle a eu une drôle de façon de me le prouver!

— Elle s'est sans doute aperçue elle aussi qu'elle avait fait une erreur, et quand cela se produisait, elle n'était pas toujours des plus délicates.

Elle soupira.

— Nous ne saurons jamais pourquoi elle s'est comportée comme elle l'a fait. Elle seule serait en mesure de nous l'expliquer, et elle n'est plus de ce monde. Mais je reste convaincue qu'elle tenait à vous plus que vous ne le pensez. Je connaissais bien ma sœur.

Le cri d'un aigle retentit au-dessus d'eux. Shadow s'étira et vint s'allonger tout près de la jeune femme. Des milliers d'étoiles scintillaient dans le ciel.

Matt haussa les épaules.

— De toute façon, cela n'a plus la moindre importance à présent. J'aurais dû me méfier au lieu de foncer aveuglément. Je le savais bien, pourtant... Ce genre de chose ne m'arrivera plus jamais.

A son grand étonnement, il se mit soudain à lui parler de son enfance.

— Mon père a quitté ma mère peu de temps après ma naissance, commença-t-il, le regard lointain. Je ne l'ai pas connu. Ma mère... disons qu'elle appartient à cette catégorie de femmes qui ne sont pas faites pour avoir des enfants. Elle était très attirante. Elle l'est toujours, d'ailleurs. Ses quatre maris successifs ne se sont pas plus qu'elle intéressés à moi. Avec le temps, j'ai appris à ne pas y prêter attention. J'ai grandi à Los Angeles, où j'ai toujours eu l'impression d'être une pièce rapportée. J'ai attendu d'avoir seize ans pour partir de chez moi, et je suis venu ici.

Amy, qui l'avait écouté attentivement, luttait contre son désir de le prendre dans ses bras. Mais il se leva soudain, enfonça les mains dans ses poches et lui tourna le dos.

— Je pense, reprit-il à voix basse, qu'il y a sur terre certains êtres qui présentent... une sorte de défaut de fabrication. Il leur manque quelque chose. Ils ne savent pas plus donner de l'amour qu'en recevoir.

Taisez-vous!, eut-elle envie de s'écrier. Car elle se doutait de ce qui allait suivre.

— Je ne suis pas fait pour avoir une famille, ajouta-t-il, comme elle le craignait. Je suis un solitaire.

Elle dut se mordre les lèvres pour ne pas protester.

— Tom, pourtant, a représenté pour moi un semblant de famille. Il m'a pris sous son aile protectrice et m'a appris tout ce que je sais aujourd'hui : pêcher. C'est lui qui m'a aidé à trouver ma destinée.

Incapable de se contenir plus longtemps, Amy se leva et le rejoignit. Elle lui passa les bras autour du cou et posa la tête sur sa poitrine.

— Vous vous trompez, Matt, murmura-t-elle. Une enfance gâchée et un échec matrimonial ne suffisent pas à faire d'un homme un loup solitaire.

Elle sentait son cœur battre contre sa joue.

— Et je ne parle pas seulement de... cette attirance qui s'exerce entre nous, mais aussi de votre relation avec Nathan. Vous êtes formidable avec lui. Je suis sûre que vous feriez un père merveilleux.

Elle le sentit qui se raidissait, prêt à protester, et lui posa un doigt sur la bouche.

— Savez-vous ce qu'il m'a soufflé à l'oreille, tout à

l'heure, quand je me suis penchée vers lui pour l'embrasser ? Il m'a dit qu'il adorerait avoir un père comme vous.

Elle le prit par la main et ils rebroussèrent chemin en silence.

Couché dans son lit, les yeux grands ouverts, Matt contemplait le plafond. Les paroles de la jeune femme revenaient sans cesse le hanter. Et si... si elle disait vrai ?

Ce gamin avait une chance inouïe d'avoir auprès de lui un être aussi exceptionnel. N'importe quel homme au monde serait heureux de vivre aux côtés d'Amy. Pour la première fois, il se demanda pourquoi elle n'était pas mariée. Non contente d'être jolie, intelligente et drôle, elle était dotée d'une générosité hors du commun.

Une exquise chaleur l'envahit au souvenir du moment où elle était venue vers lui. Il avait eu alors tellement envie de la garder dans ses bras, de l'embrasser, de la caresser, de la...

« Ça suffit ! »

Il ne se passerait jamais rien entre Amy et lui. Il n'était pas capable de lui offrir ce qu'elle était en droit d'attendre de sa part. Un jour, il avait cru en être capable. Il s'était trompé.

Trouverait-il en lui le courage de courir de nouveau un tel risque ?

9.

Ça matin-là, Amy avait le cœur en fête lorsqu'elle sortit de la boutique de souvenirs. Après deux heures passées en compagnie d'Hannah, elle débordait d'optimisme. Ses œuvres seraient exposées pas plus tard que le lendemain !

Elle s'installa en chantonnant au volant de sa voiture et s'aperçut qu'elle n'avait pas envie d'être seule. Elle voulait partager cette bonne nouvelle, et se dirigea donc vers le port. Elle trouva Matt et Nathan en train de donner un coup de peinture au « Qui ne risque rien... ».

— J'aide Matt ! s'exclama l'enfant avec un sourire aussi radieux que le soleil.

Elle leva les yeux vers Matt, et le clin d'œil qu'il lui adressa rendit cette matinée encore plus belle.

— Alors ? lança-t-il aussitôt.

— Alors, j'ai l'impression de flotter sur un petit nuage rose ! Non seulement elle va prendre tout ce que je lui ai montré, mais elle en veut davantage encore !

— Parfait. Vous avez l'intention de vous y mettre dès aujourd'hui ? Sans ça, j'accepterais volontiers de l'aide. Vous m'avez bien dit que vous saviez peindre, non ?...

Comment résister au regard tendrement railleur dont il l'enveloppait ? Quelques minutes plus tard, elle brandissait elle aussi un pinceau après avoir enfilé une vieille chemise de Matt qui lui arrivait aux genoux.

Amy ne fut pas longue à constater que repeindre un

bateau était un exercice éreintant. La proximité de Matt rendait ce travail encore plus épuisant. Elle ne pouvait s'empêcher de l'observer à la dérobée, d'admirer ses muscles qui se tendaient dans l'effort. Le souvenir de son corps nu revenait la hanter.

Tant et si bien que, le soir venu, elle était fourbue et ne protesta pas lorsqu'il proposa d'acheter des hamburgers et des frites pour le dîner.

Nathan manqua s'endormir à plusieurs reprises à table, et Matt éclata de rire quand il le vit partir en titubant vers le couloir pour prendre un bain rapide avant d'aller se coucher.

— J'ai l'impression que mes moussaillons sont hors d'état de nuire !

Amy, qui avait retrouvé un survêtement au fond de sa valise, se laissa tomber sur le canapé. Elle se demandait si elle aurait la force de se relever lorsque le visage de Matt parut à la porte.

— Vous êtes vraiment des petites natures !

Au prix d'un effort, elle souleva une paupière.

— Je ne prendrai pas la peine de répondre à une attaque aussi basse...

Un peu plus tard, Matt la réveillait en la secouant doucement.

— La salle de bains est libre. J'ai débarrassé la baignoire de tout jouet meurtrier, et l'eau est en train de couler.

La jeune femme marmonna un remerciement avant de se diriger d'une démarche mal assurée vers le couloir. Matt la rejoignit et la prit par le bras.

— Si vous voulez, je peux vous aider à vous déshabiller...

Cette fois, elle ouvrit tout à fait les yeux et il partit d'un grand éclat de rire.

— Je me doutais bien que ça suffirait à vous réveiller !

***

Le lendemain matin, Amy rangeait du linge propre dans la commode lorsqu'elle entendit la porte d'entrée s'ouvrir. Elle fronça les sourcils. Nathan et Matt étaient partis tôt, prêts à se remettre à l'ouvrage.

Le garçonnet entra en trombe dans la pièce.

— Amy, dépêche-toi, on y va ! lança-t-il, hors d'haleine.

Elle se redressa aussitôt, affolée.

— Que se passe-t-il ? Où est Matt ? J'espère qu'il ne lui est rien arrivé...

Nathan secoua la tête.

— Non. Tom il veut nous emmener en promenade sur son bateau. Allez, dépêche-toi !

— Mais...

— Il n'y a pas de « mais » qui tienne, déclara avec un grand sourire Matt, qui venait de les rejoindre.

Impatient, Nathan sautillait d'un pied sur l'autre.

— Allez, Amy !

— Ecoute... j'avais décidé de peindre, aujourd'hui. Pourquoi n'y allez-vous pas tous les deux ?

— Non ! protesta l'enfant avec véhémence. Je veux que tu viennes !

— Tom serait déçu si vous ne vous joigniez pas à nous. On a une superbe vue de Valdez, quand on est en mer. De plus, il fait une journée magnifique. Il y a un peu de vent, mais rien de bien sérieux.

Elle se mordit la lèvre.

— Bon... eh, bien... je ne sais pas trop. Je n'ai jamais fait de bateau.

— Raison de plus, observa Matt.

— Tu as peur, Amy ? Moi non plus j'ai jamais fait de bateau, mais j'ai pas peur. Allez, viens.

Un peu plus tard, elle s'installait dans la cabine du « Petite Madame II », s'efforçant de ne surtout pas penser au sort qu'avait subi le premier voilier du nom. Elle regardait la proue du bateau fendre l'eau, et luttait de toutes ses forces contre ses appréhensions.

— Ah, le vent se lève ! s'exclama Tom, qui était à la barre, en lui adressant un clin d'œil. Si vous me parliez de votre mère, mon petit ? Est-ce qu'elle est aussi jolie que vous ?

Il poussa un petit soupir et reporta son attention sur l'océan.

— Voilà déjà deux ans qu'elle est partie, ma Cora. Il m'a fallu tout ce temps pour comprendre que j'allais pas porter le deuil jusqu'à la fin de mes jours. Je me sens prêt, maintenant, à continuer à vivre.

Amy ne put s'empêcher de sourire à ce personnage si sympathique, qui regorgeait de vitalité.

— Vous savez, l'existence est trop courte pour qu'on la traverse tout seul. Il y a des années que je répète ça à Matt, mais il ne veut rien entendre.

Matt poussa alors un cri pour leur signaler un banc de loutres, sur leur gauche. Elles flottaient, allongées sur le dos, la tête tournée vers le bateau.

— Elles ont pas froid ? lança Nathan, le nez collé contre la vitre de la cabine. A leur place, moi je serais gelé !

Un petit vent frais passait par le hublot que Tom avait laissé ouvert, devant lui, et la jeune femme s'en félicitait. Car, contrairement à ce qu'elle avait cru en montant à bord, la sensation de nausée ne faisait que s'accentuer.

— Au fait, je t'ai pas dit, Matt, que Missy a finalement renoncé à l'idée de partir pour Anchorage avec Johnny. Je me demande encore comment une idée pareille a bien pu lui traverser l'esprit ! Enfin, tant mieux. Mais mon équipage n'est pas encore au grand complet, parce que je n'ai toujours pas eu de nouvelles de Derek. Je ne sais pas pourquoi, mais j'ai l'impression qu'il ne reviendra pas de sitôt. Tu es sûr que tu veux pas laisser ta baignoire pour t'associer avec moi ?

— Le « Qui ne risque rien... » n'est pas une baignoire ! protesta Nathan.

La jeune femme ne prêtait presque plus attention à la conversation. Les voix lui parvenaient, lointaines, diffuses.

Matt, qui remarqua qu'elle blêmissait à vue d'œil, avança vers elle et lui tendit un cachet avec un verre d'eau.

— On dirait que vous n'avez vraiment pas le pied marin..., observa-t-il avec un froncement de sourcils. Avalez ça et venez prendre l'air dehors.

Elle s'exécuta, et ne refusa pas son aide lorsqu'il la saisit fermement par le bras pour la conduire sur le pont.

— Ça va mieux ?

— Pas... trop. J'ai l'impression que je vais mourir...

Avec un rire empreint de tendresse, il l'attira contre lui et lui effleura la tempe d'un baiser.

— Il n'en est pas question ! Je vous l'interdis formellement.

Lorsque Tom rebroussa chemin, la jeune femme se sentait un peu mieux. Assez en tout cas pour être gênée.

— Désolée, vous avez dû abréger la promenade à cause de moi.

— Bah, c'est pas très grave, ma belle ! lui dit le vieux loup de mer. Ça arrive à des tas de gens. La prochaine fois vous le saurez, et vous avalerez une pilule avant le départ.

Il accompagna ses propos d'une petite tape amicale sur le bras.

Ce fut avec un immense plaisir qu'Amy foula la terre ferme, toujours soutenue par Matt. Nathan marchait à côté d'elle, le front soucieux. Ils retournèrent à la maison, où Matt insista pour qu'elle se couche. Les effets du cachet se faisant sentir, elle n'eut pas la force de refuser. L'esprit embrumé, elle le laissa la mettre au lit et la border.

— Reposez-vous. Nous restons là, Nathan et moi, au cas où vous auriez besoin de quelque chose.

« J'ai besoin de *vous* », songea-t-elle, juste avant de sombrer dans la torpeur.

Ce soir-là, Matt décida de faire griller des hamburgers dans le jardin.

— Je me sers rarement de ce barbecue, déclara-t-il.

Confortablement installée dans une chaise longue, emmitouflée dans un gros pull de Matt, la jeune femme afficha un air surpris.

— Ah ? J'aurais pourtant cru que vous passiez beaucoup de temps dehors, en été. Le cadre est si beau...

Elle huma l'air, et tendit la main pour écarter un moustique.

— Mmm... c'est bon de se sentir revivre ! Ces odeurs de grillade me mettent en appétit.

Elle sourit à Matt. Ses joues avaient repris leur délicate teinte rosée, et elle était ravissante. Les cris de Nathan, qui s'amusait avec Shadow, retentissaient à l'arrière de la maison.

— C'est ce qui arrive aussi aux ours bruns.

Le sourire de la jeune femme se figea sur ses lèvres.

— Aux... ours bruns ? répéta-t-elle d'une voix étranglée. Vous voulez dire que nous nous sommes paisiblement promenés Nathan et moi dans ces collines, alors qu'elles sont infestées d'ours ?

— N'exagérons rien.

— Nathan, viens tout de suite ici ! Je ne veux pas te perdre de vue.

L'enfant la fixa, étonné, puis s'exécuta avec un haussement d'épaules.

— Vraiment, j'ai du mal à croire que vous ne nous ayez rien dit ! fit-elle, pincée, tout en chassant de nouveau un moustique qui lui tournait autour.

Matt soupira.

— Je suis désolé. Mais il n'y a quand même pas de quoi en faire une affaire d'Etat! Il faut juste éviter de laisser dehors de la nourriture susceptible de les attirer. Jusqu'ici, je n'ai jamais eu le moindre problème, même s'il m'arrive d'en apercevoir qui sortent des bois et qui avancent même, quelquefois, jusqu'à la terrasse.

Il vit Amy blêmir et regretta aussitôt ces mots.

— Ecoutez, vous n'avez rien à craindre de ces animaux.

— Je suis ravie de vous l'entendre dire!

— Tant que vous restez prudente, vous ne courez pas le moindre risque. Il y a par ici une grande concentration d'ours, et...

Les yeux écarquillés, la jeune femme fouillait les alentours.

— ... et personne n'a jamais été attaqué.

— Umph!

— Bon sang, il faudrait qu'un ours soit complètement sourd pour approcher d'ici, avec tout le bruit que fait Nathan!

— Pourquoi ne nous avez-vous pas prévenus? Et si... s'il avait été blessé par l'une de ces bêtes féroces?

Matt se passa la main sur le visage, et ressentit un vif sentiment de culpabilité. Il avait oublié qu'il avait affaire à des citadins.

— Encore une fois, je suis désolé. J'y suis tellement habitué, moi, que ça ne m'a même pas traversé l'esprit...

Regardant toujours autour d'elle, Amy, hocha sèchement la tête.

— Finalement, Seattle ne me paraît pas si effrayant!

Matt leva les yeux au ciel.

— Allons, vous êtes bien plus en sécurité à Valdez, même avec quelques ours. Ici il n'y a pas de crimes, pas d'enlèvements, pas de vols... Voulez-vous que je poursuive?

— Non, c'est inutile.

— J'aimerais pouvoir vous certifier qu'il ne se passera rien, mais c'est impossible. La vie en soi est un risque, Amy. J'habite ici depuis quinze ans, et il ne m'est jamais rien arrivé. Si cela peut vous rassurer, achetez des clochettes et portez-les quand vous vous promenez dans les environs. Voilà qui devrait vous éviter de surprendre les habitants des bois environnants. Et emmenez toujours Shadow avec vous. Si vous trouvez qu'elle se comporte de façon bizarre, rentrez aussitôt. Je possède un bon ouvrage sur ce sujet. C'est là tout ce que je peux faire pour vous.

Elle écrasa avec colère un moustique qui venait de lui piquer la jambe.

— Si nous ne nous faisons pas dévorer par un ours, ce sont ces énormes moustiques qui auront notre peau !

— C'est la saison... Vous préférez rentrer ?

— Oui, répondit-elle sans hésiter.

Il resta dans le jardin pour finir de faire cuire les grillades. A ce moment-là, et pour la première fois depuis leur arrivée, il ressentit un curieux pincement au cœur. La solitude lui pèserait terriblement lorsqu'ils seraient repartis.

La voix de la jeune femme arrivait jusqu'à lui, mêlée au rire de Nathan et aux jappements de Shadow. Voilà donc ce qu'était une vie de famille. Les propos que lui avait tant et tant de fois répétés Tom lui revinrent à la mémoire.

Ce gamin n'était pas son fils, mais qui sait, il pourrait peut-être l'inviter à passer ses vacances à Valdez. Les garçons aimaient les bateaux. Ils sortiraient pêcher ensemble.

Peut-être même réussirait-il à convaincre Amy de l'accompagner. Cette agréable pensée lui arracha un soupir de bien-être. Il posa la viande dans un plat et regagna la maison en sifflotant.

10.

Le jour suivant, Amy se rendit en ville et acheta une clochette pour Nathan et elle, sans oublier Shadow.

— Je ne tiens pas à ce qu'elle coure elle non plus le moindre risque ! expliqua-t-elle le soir même à Matt, qui la fixait, l'œil narquois. Et je vous interdis de vous moquer de moi !

Elle pointait un doigt accusateur sur lui, prête à lui marteler la poitrine, lorsqu'il lui saisit le poignet et l'attira contre lui. Leurs regards restèrent rivés l'un à l'autre, puis leurs lèvres se rapprochèrent, se frôlèrent, hésitantes, et se joignirent enfin en un long baiser vibrant de désir.

— Oh, Amy... il faut arrêter..., murmura-t-il d'une voix rauque, juste avant de s'emparer de nouveau de sa bouche frémissante.

Pourquoi, puisque je t'aime ?

La jeune femme frissonna tandis que ces mots s'inscrivaient en lettres de feu dans son esprit. Seigneur, était-ce possible ?

Soudain en proie à un profond désarroi, elle s'écarta tout doucement de lui.

— Excuse-moi, fit-il à voix basse.

Le tutoiement lui était venu tout naturellement aux lèvres.

— Je suis désolé... En fait non, je mens ! Je ne regrette

pas de t'avoir embrassée. Je ne songe qu'à cela depuis ton arrivée. Quels que soient mes efforts pour ne pas penser à toi, je n'y arrive pas, Amy...

Il ponctua ces mots d'un soupir empreint de lassitude, puis reprit :

— Tu partiras à la fin de l'été. Peut-être même avant.

Incapable de parler, elle hocha la tête.

— Je n'ai... rien à t'offrir.

Il l'enlaça et la garda serrée contre lui.

— Mais nous sommes grands, toi et moi. Nous arriverons probablement à surmonter cette attirance, non ?

— Bien sûr.

« Il a raison », se répéta-t-elle à maintes reprises ce soir-là, étendue dans son lit. Mais comment gommer de sa pensée le souvenir de certains regards, certains sourires ? De ses baisers, de ses caresses ?

Elle se félicitait que Nathan eût déjà été couché quand ils s'étaient embrassés, Matt et elle. S'il avait surpris cette étreinte, cela n'aurait fait que compliquer davantage encore la situation.

Il fallait qu'ils se montrent plus prudents, sans quoi... Non, ils devaient cesser de jouer avec le feu avant de se brûler !

Les mots qui lui avaient traversé l'esprit un peu plus tôt revenaient cependant la hanter. C'était ridicule. Dans les bras de Matt, elle avait confondu amour et désir, voilà tout. Ils ne se connaissaient d'ailleurs pas assez pour qu'elle l'aime. Elle ne pouvait pas l'aimer.

Il se trompait toutefois en affirmant qu'il n'avait rien à offrir. Elle était intimement persuadée du contraire, et elle rêvait de le lui prouver. Parce qu'elle le considérait comme un ami. Un ami très cher.

***

— Bonjour, lança Matt d'un ton froid le lendemain matin, en évitant de croiser son regard.

La jeune femme réprima un soupir. Elle savait qu'il essayait de garder ses distances, et regretta que cela lui fût si pénible. Elle lui sourit néanmoins et s'efforça de ne rien laisser paraître de sa tristesse.

Nathan partit avec Matt, et elle passa la journée sur la plage à peindre... et à sursauter au moindre bruit suspect.

Le soir même, lorsqu'elle le raconta à Matt, il haussa les épaules.

— Si ça peut te rassurer, appelle la mairie. Appelle Hannah. Elle habite ici depuis trente ans et elle n'a jamais eu le moindre problème.

— Je me demande bien comment vous faites, tous...

— J'avoue que je ne te comprends pas. Tu côtoies depuis des années le danger dans une grande ville... A ta place, je n'hésiterais pas une seconde : j'emmènerais Nathan vivre dans ces collines, qui me semblent de loin beaucoup plus sûres que les artères de Seattle.

Il marqua une pause.

— De toute façon, la sécurité est illusoire partout. Soit l'on prend conscience du danger et l'on décide de vivre avec, soit l'on reste enfermé chez soi. Tu préfères Seattle, et je préfère, moi, tenter ma chance auprès des ours.

Hannah ne fit que confirmer cette opinion le lendemain, lorsque Amy lui fit part de ses frayeurs.

— Il y a des tas de gens qui vivent ici depuis une dizaine d'années et n'ont jamais aperçu un seul ours. Et il n'existe pas de meilleur endroit au monde pour élever des enfants.

Au moment où elle s'apprêtait à appeler la mairie, Amy dut admettre que Matt n'avait pas tort. Le réel danger consistait à ignorer le risque et à ne pas savoir comment l'affronter.

Tu préfères Seattle, et je préfère, moi, tenter ma chance auprès des ours.

Elle ne préférait pas forcément Seattle, mais c'était là qu'elle avait toujours vécu. Elle ne connaissait rien d'autre. En outre, elle y avait sa mère, son travail, ses amis.

Pourtant, les propos de Matt faisaient leur chemin dans sa tête. Peut-être, en effet, serait-il préférable de résider dans une ville plus petite, ne serait-ce que pour Nathan. Sa mère souhaitait mettre en vente la maison familiale. Elle lui avait dit qu'elle avait besoin de changer de cadre, et qu'elle envisageait de quitter la région de Seattle.

Amy l'avait écoutée d'une oreille distraite, attribuant cette décision à la perte brusque de Sabrina. Mais elle aurait dû lui prêter plus d'attention. Carol essayait peut-être de lui transmettre un message, car elle n'imaginait pas que sa mère pût vivre loin de Nathan. Elle aimait à la folie son petit-fils.

Le lendemain, Matt n'emmena pas Nathan avec lui car il devait vérifier l'état du moteur, et préférait être seul pour accomplir cette tâche délicate.

Lorsqu'il rentra le soir, il ne trouva nulle trace d'Amy et de Nathan à la maison. Ce fut un silence pesant qui l'accueillit quand il poussa la porte. Un silence qui, s'il lui avait été familier, l'oppressait maintenant.

Il aperçut alors une petite note de la jeune femme posée sur la table. *Nous sommes à la plage.*

Il tourna aussitôt les talons et partit presque au pas de course dans cette direction. De loin, il distingua la silhouette d'Amy. Assise sur un rocher, un crayon à la main, elle dessinait un paquebot qui passait au loin.

Le cœur battant, il la rejoignit en quelques enjambées et s'éclaircit la voix.

— Tu as passé une bonne journée? lança-t-elle de

cette voix claire et bien timbrée qui lui était devenue si chère.

— Ça a été.

— Tant mieux.

Il savait qu'elle le pensait sincèrement. Amy s'intéressait assez aux gens qu'elle fréquentait pour ne leur souhaiter que le meilleur. C'était là sa nature. Soudain, il se prit à regretter de ne pas l'avoir rencontrée et épousée avant que Sabrina ne croise sa route.

Mais à quoi bon perdre son temps en regrets de cet ordre ? Rien ne pourrait changer le passé. Ils étaient, Amy et lui, des étrangers que le destin avait placés pendant un temps sur le même chemin. Ils deviendraient peut-être amis. Rien de plus.

— Où est Nathan ?

Il regarda autour de lui, vers la plage puis en direction des bois, mais ne vit que Shadow qui reniflait des buissons.

Amy fronça les sourcils et balaya elle aussi les alentours du regard.

— Il était là à l'instant. Nathan !

Shadow avança vers elle, faisant tinter sa clochette.

— Na-than ! répéta-t-elle d'une voix tendue.

Matt se rapprocha d'elle et lui posa la main sur l'épaule.

— Il ne doit pas être bien loin.

Et il partit vers l'endroit où se trouvait Shadow quand il était arrivé. A ce moment-là, une voix enfantine retentit.

— Cou-cou ! Amy, Matt... je suis tout là-haut !

Matt sentit sa gorge se serrer quand il aperçut le garçonnet juché, en équilibre précaire, au sommet d'un arbre mort. Pétrifiée, la jeune femme ouvrit la bouche mais aucun son ne jaillit de ses lèvres.

— Ne perdez surtout pas votre sang-froid, chuchota-t-il. Il faut éviter de l'effrayer. S'il a réussi à monter, il réussira aussi à redescendre.

« Pourvu que ces vieilles branches ne cèdent pas sous son poids... », ajouta-t-il en son for intérieur.

— Allez, mon bonhomme, assez joué comme ça, lança-t-il avec un sourire qui se voulait naturel. Il est temps de rejoindre la terre ferme, maintenant.

Ainsi qu'il le redoutait, Nathan posa le pied sur une branche qui craqua. Deux cris retentirent en même temps : celui de l'enfant et celui d'Amy. Matt les entendit comme dans un songe, tandis qu'il courait tel un fou, les yeux rivés sur la petite silhouette qui tombait de branche en branche, à l'instar d'un film au ralenti.

Cette chute s'acheva dans un bruit sourd. L'instant suivant, il s'agenouillait devant la frêle silhouette étendue à terre, le bras droit replié. Le petit visage livide était couvert d'écorchures. Nathan avait perdu connaissance. Le cœur battant, Matt s'empressa de l'examiner afin de s'assurer qu'il ne souffrait d'aucune blessure grave.

Il tourna alors la tête vers la jeune femme. Un souffle rauque s'échappait de ses lèvres. Elle avait les yeux exorbités et paraissait sur le point de défaillir.

— Ce n'est pas le moment de perdre notre sang-froid, dit-il d'un ton ferme. Cours vite jusqu'à la maison et appelle l'hôpital pour prévenir le service des urgences de notre arrivée. Prends des couvertures et les clés de la voiture.

Il souleva tout doucement le garçonnet dans ses bras. Amy ne bougeait toujours pas.

— Allez, dépêche-toi !

Elle cligna des paupières, et partit comme un éclair en direction de la maison.

S'entourant de mille précautions pour porter son précieux fardeau, Matt lui emboîta le pas, accompagné de Shadow qui trottinait à son côté en gémissant.

Le trajet jusqu'à l'hôpital ne dura que quelques minutes, mais Matt eut l'impression de parcourir un millier de kilomètres. Il avait hâte d'arriver, de confier ce petit être à des gens compétents.

La mort dans l'âme, il vit le personnel médical allonger Nathan sur une civière puis s'engouffrer avec lui dans un couloir qui arborait l'inscription « Interdit au public ». Ensuite, il reporta son attention sur Amy. La jeune femme était livide. Il la prit par le bras et, en silence, la guida jusqu'à la salle d'attente, où il commença à faire les cent pas.

— C'est ma faute...

Il s'arrêta net en entendant la voix féminine, aux accents soudain si durs.

— Tu dis n'importe quoi ! Ce genre d'accident se produit bien plus souvent qu'on ne le croit. Les gosses passent leur temps à faire des bêtises.

Amy secoua la tête et leva sur Matt un regard dans lequel se mêlaient le chagrin et la peur.

— J'aurais dû être plus vigilante.

— Arrête de te tourmenter, Amy. De toute façon, peu importe qui est fautif dans cette histoire. Nathan va se remettre. Et quand il sera de nouveau sur pied, je le tuerai !

La jeune femme ne put s'empêcher de rire.

— Non. Moi d'abord !

— Enfin... je ne le toucherai pas, bien sûr, mais crois-moi, ça m'étonnerait qu'il recommence après le savon que je vais lui passer !

— Tu as ma bénédiction.

Ils échangèrent un sourire toujours chargé d'angoisse, puis Amy se leva et vint se réfugier dans ses bras. Ils restèrent serrés l'un contre l'autre, en silence.

Tandis qu'ils attendaient le verdict du médecin, Matt prit conscience de tout l'amour qu'il portait à ce garnement. Et une peur très différente s'immisça en lui. Toute forme d'attachement comportait un énorme risque : celui de souffrir.

Un étrange sourire se dessina sur ses lèvres. Il était déjà trop tard. Nathan occupait désormais une place de taille dans son cœur. Pour le meilleur ou pour le pire.

— Voilà donc ce que ça signifie, d'être parent...

La jeune femme releva soudain la tête et fouilla son regard. Ce qu'elle y lut confirma ses doutes.

— Et... le test ? s'entendit-elle demander.

— Au diable, le test ! Ce gamin est à moi, un point c'est tout ! Tu m'as bien dit toi-même que tu étais sûre que Sabrina ne t'avait pas menti, non ? Alors où est le problème, maintenant ?

Il se prit à espérer que ce fût vrai, puis s'aperçut que cela n'avait pas la moindre importance. Que cet enfant soit ou non son fils, il ne pourrait de toute façon pas l'aimer davantage.

Amy secoua doucement la tête.

— Il n'y a aucun problème, Matt. En fait...

Elle s'interrompit pour l'embrasser sur la joue.

— En fait, je pense que Nathan est l'un des gamins les plus chanceux de la terre !

— Nous attendrons quand même les résutats du test pour lui en parler. A ce moment-là, nous lui dirons toute la vérité. Et je te répète que, quoi que prétende ce test, Nathan est *mon fils* !

Elle acquiesça en silence et posa la tête sur son épaule.

Un peu plus tard, le médecin les rejoignait.

— Cette petite crapule a une chance extraordinaire ! Il s'en tire avec une fracture du bras alors qu'il aurait pu se briser le cou. Les enfants..., soupira-t-il avec une grimace éloquente. On se demande comment ils font pour atteindre l'âge adulte ! Il est encore commotionné, et nous préférerions donc le garder en observation ce soir.

— J'aimerais rester auprès de lui, dit aussitôt Amy.

— *Nous* aimerions rester, rectifia Matt, sans même attendre la réponse du médecin.

— Aucun problème, déclara celui-ci. Ce n'est pas nécessaire, mais si ça vous fait plaisir... Il est réveillé et installé dans une chambre. Si vous désirez le voir, suivez le couloir du fond, première porte à gauche.

Nathan paraissait si menu, si vulnérable, allongé dans le lit, les couvertures remontées jusqu'au menton. Il avait triste mine avec son petit visage couvert d'égratignures et son bras droit dans le plâtre.

Les yeux embués de larmes, la jeune femme le rejoignit et l'embrassa sur le front.

— Oh... je regrette, tu sais, Amy... Je voulais juste voir les aigles de plus près...

— La prochaine fois, je préfère que tu empruntes mes jumelles ! lança Matt d'un ton hargneux, juste avant d'ébouriffer tendrement les cheveux du garçonnet. Tu nous as fait une belle frayeur, mon bonhomme. Je suis sûr que j'ai vieilli de dix ans !

Nathan esquissa un petit sourire canaille.

— Ça se voit même pas !

— Tant mieux.

Il prit place au pied du lit, et, le cœur serré, dévisagea l'enfant.

Son fils.

Les émotions qu'il s'efforçait depuis des années de tenir à distance affluaient en lui. C'était une sensation à la fois déroutante et merveilleuse.

Debout à la fenêtre du salon, Amy contemplait les grosses gouttes de pluie qui s'écrasaient sur les vitres, portées par les rafales de vent. Son regard se posa plus loin, vers les eaux agitées sur lesquelles voguait en ce moment même Matt, puisque la saison de la pêche avait commencé la veille.

Et si... s'il lui arrivait malheur ? Il était certes prudent, mais le « Qui ne risque rien... » résisterait-il aux mauvais traitements que lui infligeait l'océan en colère ?

La sonnerie du téléphone la fit sursauter.

— Ce maudit temps est en train de me faire devenir dingue !

La voix d'Hannah résonna à son oreille, telle une explosion.

— Et pour couronner le tout, je dois jouer les grands-mères ! Elly a dû partir pour Anchorage et m'a laissé ses deux délicieux bambins, qui sont comme des lions en cage ! Allez, prenez Nathan sous le bras et venez boire une tasse de café avec moi. Ça nous permettra de faire nos comptes. Evidemment, avec ce temps, je n'ai pas vu un seul touriste depuis ce matin. Vous avez autre chose ? Vos œuvres se vendent comme des petits pains !

Amy lui promit de se rendre à la boutique dès que Nathan aurait fini sa sieste. Excepté son bras plâtré, l'enfant se portait maintenant comme un charme. En attendant qu'il se réveille, elle rangea dans un grand carton à dessin ses nouveaux croquis ainsi que quelques aquarelles. Une heure plus tard, bien abrités sous un parapluie, Nathan et elle franchissaient le seuil de la boutique.

Dès qu'ils aperçurent le garçonnet, Chance et Brianna, qui l'avaient déjà rencontré, poussèrent des cris de joie. Hannah les envoya jouer dans l'atelier et soupira de soulagement dès qu'ils eurent disparu.

— Ces gosses vont me rendre folle !

Elle se dirigea vers son bureau, sur lequel était posé un dossier.

— Tenez, mon petit, voilà le détail de tout ce qui a été vendu, avec un chèque libellé à votre nom.

Elle s'interrompit et la fixa, les sourcils froncés.

— Mais... que se passe-t-il ? Vous avez une mine épouvantable. Vous ne vous feriez pas par hasard du souci pour votre homme ?

Amy s'apprêtait à répliquer que Matt n'était pas « son homme » quand Hannah reprit la parole :

— Allons, allons ! Il y a des années qu'il pêche. Et puis ça ne sert à rien de s'inquiéter. Il faudrait que vous sortiez un peu plus souvent. En fait, vous devriez acheter cette boutique.

Amy en resta médusée.

— Ça vous conviendrait à merveille, poursuivit Hannah avec un sourire. Vous pourriez travailler dans l'atelier et embaucher quelqu'un de temps en temps pour ne pas être tout le temps enfermée ici. Ça vous permettrait de rester à Valdez, et le petit verrait son père aussi souvent qu'il le voudrait.

De plus en plus sidérée, la jeune femme se laissa tomber dans un fauteuil. Hannah lui servit une tasse de café et la lui tendit en lui adressant un clin d'œil.

— Je suis peut-être vieille, mais pas complètement gâteuse ! Réfléchissez à ma proposition... Et maintenant, montrez-moi ce que vous m'avez apporté.

Amy lui tendit distraitement la chemise et but son café à petites gorgées tandis que les propos qu'elle venait d'entendre faisaient leur chemin dans son esprit.

Oh, racheter la boutique d'Hannah ne lui déplairait certes pas. Si seulement elle possédait assez d'argent pour l'acquérir. Si seulement elle avait un avenir à Valdez, avec Nathan et Matt. Si seulement... Matt l'aimait et voulait construire sa vie avec elle, au lieu de se considérer comme un loup solitaire.

Amy en resta interdite.

— Ça vous conviendrait à merveille, poursuivit Hannah avec un sourire. Vous pourriez travailler dans l'atelier et embaucher quelqu'un de temps en temps pour ne pas être tout le temps enfermée ici. Ça vous permettrait de rester à Valdez, et le petit verrait son papa aussi souvent qu'il le voudrait.

D'un pas un peu hésitant, la jeune femme se laissa tomber dans un fauteuil. Hannah lui servit une tasse de café et la lui tendit en lui adressant un clin d'œil.

— Je suis peut-être vieille, mais pas complètement sénile! Réfléchissez à ma proposition. Et maintenant montrez-moi ce que vous m'avez apporté.

Amy lui tendit distraitement la chemise et but son café à petites gorgées tandis que les projets qu'elle venait d'entendre faisaient leur chemin dans son esprit.

Oui, racheter la boutique d'Hannah ne lui déplairait certes pas. Si seulement elle possédait assez d'argent pour l'acquérir. Si seulement elle avait un avenir à Valdez, avec Nathan et Matt. Si seulement... [illegible] de vouloir construire sa vie avec elle, au lieu de se considérer comme un loup solitaire!

11.

— On ne t'a pas entendu pendant le dîner. Tout va bien ?

Ils avaient couché Nathan, et étaient tous deux assis sur les marches de la terrasse.

Matt haussa les épaules et regarda Shadow disparaître dans les buissons du jardin.

— Tu as envie de parler? insista-t-elle d'une voix douce.

— Je n'hésiterais pas si ça m'aidait à y voir plus clair, à trouver un semblant de logique à cette situation.

— La logique n'est pas toujours de mise en ce bas monde...

Matt se tourna lentement vers elle, et la vue de ce regard où régnait la confusion la troubla. Elle aimait cet homme de tout son cœur, mais ne pouvait que le regretter car cet amour n'était pas réciproque.

— Je suis prête à t'aider, dans la mesure de mes possibilités.

— Je le sais, soupira-t-il. Voyons... que feras-tu si les résultats de ce test sont négatifs ?

— Impossible.

Il ne répondit pas, et elle soupira à son tour.

— Eh bien, nous lui dirons la vérité, Matt, comme nous l'avions décidé. Nathan est un petit garçon intelligent. Il t'adore. Ce qui compte, en fait, c'est que tu l'aimes toi aussi. De toute façon, nous en aurons bientôt le cœur net. Les résultats ne devraient plus tarder à arriver.

Elle embrassa la forêt du regard et ajouta à voix basse :

— Il ne voudra pas repartir...

Curieusement, elle se sentit mieux dès que ces mots eurent franchi ses lèvres.

— Je suis désolé. Je n'ai jamais eu l'intention d'être une source de problèmes.

— Je n'en ai jamais douté un seul instant. C'est moi et moi seule qui ai amené Nathan ici et qui l'ai en quelque sorte jeté dans tes bras. Je suppose que je n'avais pas pesé le pour et le contre...

— Il faudra qu'il rentre avec toi.

Amy leva les yeux vers Shadow, qui venait de surgir de derrière les buissons.

— Il pourrait peut-être passer tous les étés ici, suggéra-t-il.

Elle ne répondit pas.

— A moins que... que vous restiez ici tous les deux.

Le cœur de la jeune femme s'emballa. Elle fixa Matt, l'air hagard.

— Rester? répéta-t-elle d'une voix à peine audible.

Qu'entendait-il au juste par là?

— Je suis certain que tu n'aurais pas de mal à trouver du travail à Valdez. Nathan continuerait à vivre avec toi, mais nous habiterions au moins la même ville.

Bien sûr... Quelle idiote! L'espace d'un instant, elle avait cru qu'il s'apprêtait à lui déclarer sa flamme.

— Il ne s'agit pas seulement d'une affaire de travail, Matt. Ma mère a besoin de moi. Et... une décision de cet ordre ne se prend pas à la légère.

— Bien sûr, bien sûr, mais rien ne presse. Nous avons encore un peu de temps devant nous, car je suppose que vous n'envisagez pas de repartir demain...

Il semblait épuisé, abattu, même.

— En effet, murmura-t-elle, culpabilisée par sa mine défaite.

Il lui était toutefois impossible d'accéder ainsi à sa demande. Si les données avaient été différentes, s'il lui avait dit qu'il l'aimait... Mais ce n'était pas le cas, point final.

— Quoi qu'il advienne, je t'aiderai financièrement.

La gorge nouée, Amy acquiesça.

— Merci, fit-elle dans un souffle.

— Et maintenant, je crois qu'il est temps d'aller se coucher.

Matt se leva et disparut dans la maison, la laissant désemparée.

— Elle pourrait acheter la boutique d'Hannah et continuer à peindre, observa Tom après avoir avalé une longue gorgée de café.

Matt secoua la tête.

— Elle n'a pas assez d'argent pour acquérir cette affaire. De plus, sa mère vit à Seattle. Amy ne la laisserait jamais seule là-bas.

Tom leva les yeux au ciel et soupira.

— Vous êtes bien tous pareils, les jeunes ! Vous vous imaginez que les gens de mon âge ne sont pas capables de se débrouiller sans votre aide. Je suppose qu'elle n'a pas besoin d'une baby-sitter, sa mère ! Et qui sait, elle en a peut-être assez d'habiter Seattle, cette femme. Peut-être bien qu'elle serait ravie de s'installer ici.

Il secoua la tête, l'air agacé.

— Bon sang, la seule bonne chose que tu aies faite récemment, c'est de reconnaître que ce gosse est de toi !

Puis il sourit, et Matt lui rendit son sourire.

— Je te le concède !

Tom but une autre gorgée de café et fixa celui qu'il avait connu alors qu'il n'était encore qu'un adolescent.

— Tu sais ce qui résoudrait tous tes problèmes?

Matt haussa un sourcil.

— Que tu te maries avec Amy!

— Tu as perdu la tête? explosa-t-il.

— Pas du tout. Plus j'y réfléchis, plus l'idée me plaît.

— Eh bien, tu n'as qu'à l'épouser, *toi*!

— Je suis trop vieux.

— C'est ce qui te gêne? rétorqua Matt d'un ton sec. Ça m'étonne de toi!

— Allons, calme-toi et réfléchis un peu. Ce n'est pas une si mauvaise idée. Il y a des tas de raisons pour que...

Matt tendit la main afin de l'interrompre.

— Je n'ai pas envie de les entendre!

— Bon...

Ce soir-là, assis sur la terrasse, Matt regardait Nathan courir après Shadow autour de la maison en poussant des cris de joie. Il devait admettre qu'Amy avait fait ce que l'on appelait du « bon travail ». Bien qu'il eût grandi sans père et perdu sa mère très jeune, Nathan était un enfant adorable et parfaitement équilibré.

Il n'avait pas la moindre envie de le voir partir.

Pourtant, éviter que cela se produise relevait de l'impossible. Pour rien au monde il ne priverait Amy de la présence de cet être auquel elle était si attachée.

Les propos de Tom lui revinrent soudain à la mémoire : « Marie-toi avec Amy ».

C'était une idée absurde.

Pourtant...

Posté devant la baie vitrée du salon, les mains dans ses poches, Matt contemplait les montagnes environnantes. Amy prit un soda dans le réfrigérateur et s'installa sur le canapé. Elle venait juste de sortir de la chambre de Nathan, où, comme à l'accoutumée, elle lui avait raconté une histoire pour l'endormir.

Tout en buvant à petites gorgées, elle observait Matt. Il paraissait plongé depuis maintenant une semaine dans de sombres pensées. Elle aurait voulu l'aider, le prendre dans ses bras, l'embrasser... Mais ce n'était là qu'un rêve.

Elle savait par expérience que, si elle essayait de le tirer de sa morosité, il lui adresserait un sourire distrait avant de changer de sujet.

Quelque chose le préoccupait, c'était évident, mais elle devrait attendre qu'il veuille bien lui en parler.

Shadow s'approcha d'elle et lui posa la tête sur les genoux. Elle la caressa, un sourire triste aux lèvres. Nathan ne serait pas le seul à regretter cet animal si affectueux. Et son adorable maître...

Le regard de la jeune femme se posa de nouveau sur la longue silhouette masculine. Elle aimait Matt. Nathan aussi l'aimait. Quitter Valdez ne leur serait pas facile.

— Il faut que nous discutions de certaines choses, déclara soudain Matt en se tournant vers elle.

Les battements de son cœur s'accélérèrent tandis qu'il la rejoignait sur le sofa.

— Je ne veux pas que vous partiez.

Les joues rosies, elle cligna des paupières.

— Que... ?

— Je veux que Nathan fasse partie de ma vie.

L'espoir qui avait jailli en elle s'éteignit brusquement, la laissant glacée. Ce n'était donc pas sa présence qui lui était indispensable, mais celle de Nathan.

— Je vois..., murmura-t-elle.

— Tout est ta faute ! Jusque-là, je n'étais pas conscient du vide qu'il y avait dans ma vie. Et puis vous êtes arrivés, Nathan et toi... et j'avoue que maintenant je n'ai plus le courage de reprendre l'existence que je menais avant.

Il s'était exprimé d'une voix dure. La jeune femme baissa les yeux et joignit ses mains tremblantes.

— Je ne demanderai pas la garde de Nathan. Tu sais bien que je ne vous ferai jamais le moindre mal, pas plus à lui qu'à toi.

Un silence pesant s'installa entre eux.

— J'ai beaucoup réfléchi, dit-il enfin avec un soupir. J'ai même l'impression de n'avoir fait que ça, ces derniers temps !

Il s'interrompit, dévisagea la jeune femme et reprit, à voix basse :

— Amy, accepterais-tu de m'épouser et de t'installer ici ?

L'espace d'un instant, elle crut avoir mal entendu. Puis elle ouvrit grand les yeux et le fixa.

— Hé, il s'agit d'une demande en mariage, pas d'une tentative de meurtre !

Elle était partagée entre l'envie de rire, de pleurer, et de le gifler.

— Avant de répondre par la négative, permets-moi de t'exposer mon cas. Je sais que tu ne m'aimes pas. Quant à moi... je tiens beaucoup à toi. Beaucoup plus que je pensais en être jamais capable.

Décontenancée, Amy avala sa salive. Devait-elle se précipiter dans les bras de Matt et lui crier son amour ? Devait-elle prendre la fuite pour ne plus l'écouter ?

— Comme je te l'ai déjà dit, je n'ai pas grand-chose à t'offrir : une maison, la possibilité de devenir réellement la mère de Nathan, et celle aussi de te consacrer à la peinture. Ta mère pourrait venir s'installer ici. Je sais bien que ça paraît insensé... mais il y a des chances pour que cela fonctionne.

Ce qu'il lui proposait, c'était de l'acheter. Un mariage de raison, ni plus ni moins ! Elle sentit la colère l'assaillir et se leva d'un bond. Matt l'imita. Elle respirait à petits coups, tentait de contrôler ses émotions.

Elle aimait cet homme. Il aurait suffi qu'il prononce ces petits mots qu'elle rêvait d'entendre pour qu'elle soit transportée de joie et accepte de rester vivre auprès de lui jusqu'à la fin de ses jours. Au lieu de cela, il lui proposait une sorte de contrat !

Profondément meurtrie, elle reprit place sur le divan. Cette fois encore, il fit de même. Shadow s'étira et se roula en boule aux pieds de la jeune femme.

— J'imagine que c'est pour toi une surprise de taille, reprit-il avec un soupir. J'ai essayé de songer à un moyen plus délicat de t'exposer la situation, mais...

— Matt, je sais que tu t'efforces de trouver une solution qui nous convienne à tous.

Elle parlait lentement, cherchant dans son esprit confus les mots les plus adéquats.

— Nathan a aujourd'hui six ans. Nous avons donc encore onze ou douze ans devant nous avant qu'il décide de voler de ses propres ailes. Que se passera-t-il alors ? Est-ce que nous divorcerons ? Et que fais-tu de mon désir d'enfant ? J'ai toujours pensé qu'un jour ou l'autre je me marierais et aurais des enfants.

Shadow grogna dans son sommeil. Les minutes s'étiraient, aussi longues que des heures.

— Rien ne nous empêche d'avoir des enfants, répliqua-t-il enfin sans croiser son regard.

Elle le dévisagea, interloquée.

— Pardon ?

— Eh bien... oui. Après tout, nous... nous sommes très attirés l'un vers l'autre.

Amy avait peine à en croire ses oreilles.

— Décidément, tu es prêt à sacrifier beaucoup de choses ! asséna-t-elle. Mais vois-tu, tu n'es pas obligé d'en passer par là. Je peux très bien décider de m'établir à Valdez toute seule, sans que tu te sentes obligé de m'offrir un toit et...

— N'en parlons plus pour l'instant, je te prie. Je te demande seulement d'y réfléchir. D'accord ?

— Si j'épouse un jour un homme, ce sera parce que je l'aime, déclara-t-elle d'un ton calme avant de regagner sa chambre.

« Ce qui est le cas... », se dit-elle un peu plus tard, allongée dans son lit.

Matt n'avait pas voulu la blesser en lui proposant le mariage. Elle était elle-même capable de trouver « logique » une telle demande.

Certes, il lui était possible d'accepter et d'espérer qu'il tomberait un jour amoureux d'elle. Mais... et s'il ne parvenait jamais à se débarrasser de son lourd passé ? Elle en doutait car, en dépit de ses principes, il n'avait guère tardé à éprouver une profonde affection pour Nathan. Elle refusait toutefois de courir ce genre de risque. Si elle l'épousait, elle tenait à ce que les bases de leur union soient saines dès le départ.

Trois options s'offraient à elle : épouser Matt, ou bien retourner à Seattle, ou encore rester à Valdez, mais sans son « aide ».

Son entretien avec Hannah lui revint alors à la mémoire.

Si sa mère vendait la maison familiale, elle accepterait peut-être d'investir cet argent dans l'achat de la boutique. Peut-être même de devenir son associée.

Elle mit très longtemps à s'endormir, ce soir-là.

— Nathan est dehors ? s'enquit-elle le lendemain matin, en prenant place à table.

Matt acquiesça.

— J'ai réfléchi à ta proposition.

Il sentit le rouge lui monter au visage et secoua la tête.

— Ecoute, je suis désolé...

— Tu n'as aucun besoin de t'excuser. Je comprends bien que tu étais animé de bonnes intentions.

— Bien sûr...

— Ce mariage résoudrait certes bon nombre de problèmes, mais il en créerait d'autres. Je ne pense donc pas que ce soit une excellente idée.

Il s'attendait à cette réponse. Pourtant, elle eut sur lui un effet déprimant.

— J'aimerais toutefois que tu m'accordes un peu plus de temps. Qui sait, je déciderai peut-être de rester à Valdez... sans toi. Il faut aussi que je m'entretienne avec ma mère pour savoir quels sont ses projets. Mais, pour être franche, Matt, ne t'attends pas trop à ce que je change d'avis au sujet de ce mariage.

Voilà. Il se doutait bien qu'Amy finirait par refuser. C'était une idée stupide, et il se demandait encore comment elle avait pu lui sembler réalisable.

Parce qu'il était désespéré. Qu'il voulait à tout prix garder son fils auprès de lui. Et alors ? Ce serait peut-être possible, si Amy s'installait à Valdez.

Le cœur lourd, il monta dans son pick-up et se dirigea vers le port. Il n'avait aucune envie de ne voir le gamin que le week-end. Et encore moins envie de se borner à croiser Amy à ces moments-là, ou encore de la rencontrer par hasard à l'épicerie.

Ce n'était pas cette existence-là qui le tentait, bon sang ! Il voulait vivre avec eux. Avec... *elle*.

Parce qu'il l'aimait !

Mais le croirait-elle, à présent ? Et surtout, était-ce possible qu'elle tînt à lui, dans la mesure où elle ne lui avait pas donné de réponse définitive ?

Restait-il un espoir, aussi ténu fût-il ?

12.

Ce soir-là, ils se retrouvèrent comme à l'accoutumée sur la terrasse. Lorsque la jeune femme vint s'asseoir à côté de lui, Matt ne dit rien. Il continua à contempler l'océan, dans lequel se reflétait le ciel embrasé par le soleil couchant.

— J'ai appelé ma mère aujourd'hui, fit-elle enfin. Et, aussi curieux que cela puisse paraître, il semblerait que l'idée de quitter Seattle pour s'installer ici ne lui déplaise pas. Elle m'a même avoué qu'elle avait envie de déménager depuis un certain temps. La maison est presque vendue, et elle serait même prête à investir cet argent dans la boutique d'Hannah.

Comme elle formulait ces mots, elle se sentit le cœur un peu plus léger. Comment, toutefois, ne pas regretter que tout finisse ainsi ?

— Il m'est impossible d'épouser un homme qui ne m'aime pas, Matt, ajouta-t-elle dans un souffle. Je suis désolée...

« Désolée » était un piètre euphémisme pour exprimer ce qu'elle éprouvait.

— Il ne me reste donc plus, maintenant, qu'à trouver un appartement à louer, et à retourner à Seattle pour y chercher nos affaires, à Nathan et à moi.

— Et si je te disais que je t'aime ?

— Oh non, Matt..., dit-elle d'une voix étranglée. Ne

gâche pas tout. Décidons au moins de rester bons amis et de ne pas nous mentir.

Il se tourna vers elle. La vue de ce visage aux traits tirés, de ces yeux dans lesquels luisait une flamme étrange, la bouleversa. Puis, comme dans un rêve, elle le vit approcher d'elle, la prendre dans ses bras, chercher ses lèvres.

Etait-il possible que... ?

Lorsqu'ils se séparèrent enfin, il darda sur elle son regard de braise.

— Je t'aime, Amy. J'ai été assez idiot pour ne m'en apercevoir qu'aujourd'hui, mais l'idée de vivre sans toi m'est intolérable. Si tu es capable de supporter un imbécile de mon espèce...

— Jusqu'à la fin de mes jours ? finit-elle à sa place dans un cri enthousiaste. Rien ne me ferait plus plaisir ! Oh, Matt, je t'aime tant...

Une semaine plus tard ils se mariaient, en compagnie de Nathan, Carol, Tom et Hannah. Malgré les véhémentes protestations du garçonnet, Shadow dut attendre la fin de la cérémonie dans la camionnette.

— Mais elle fait partie de la famille !

— Elle peut très bien faire partie de la famille et rester enfermée ! riposta Matt d'un ton qui n'admettait pas de réplique.

— Ne vous inquiétez pas pour nous, déclara Tom en adressant un clin d'œil aux nouveaux mariés, qui s'apprêtaient à monter à bord de l'avion. Profitez de votre voyage de noces, je m'occupe de Carol et de Nathan !

— Tu... tu as vu ? souffla-t-elle, stupéfaite, tandis qu'ils gravissaient l'échelle. Ma mère a rougi...

— J'ai vu, mon amour. Et je trouve ça formidable !

Au moment où l'avion décollait, il prit la nouvelle Mme Gray dans ses bras et l'embrassa.

— Dès que la saison de la pêche sera terminée, je te promets que nous partirons pour une vraie lune de miel.

Elle lui sourit, l'œil luisant de désir.

— Deux jours seuls, dans un hôtel d'Anchorage, ce n'est déjà pas si mal...

La vie suivit son cours, à Valdez. Carol, qui secondait Hannah à la boutique pour apprendre le métier de commerçante, avait maintenant hâte d'en devenir propriétaire. La moitié du magasin devait être transformée en galerie d'art.

Et puis un jour, elle annonça à sa fille qu'elle allait s'installer chez Tom.

— Il s'agit d'une simple cohabitation, déclara-t-elle, les joues cramoisies. Trouver un appartement convenable à Valdez n'est pas si facile que ça, et je ne peux quand même pas vivre éternellement avec des jeunes mariés...

Shadow changea elle aussi de quartiers. Désormais, elle dormait au pied du lit de Nathan.

Un matin, ils prenaient tous ensemble le petit déjeuner dans la cuisine lorsque le téléphone sonna.

— Oui ? fit Amy. Ne quittez pas, je vous le passe.

C'était un appel du laboratoire d'analyses de l'hôpital. La jeune femme baissa les paupières, soudain en proie à une indicible angoisse. Elle n'osa regarder Matt que quand il eut raccroché. Sa mine radieuse était éloquente. Elle se précipita dans ses bras, riant et pleurant à la fois.

— Eh ben, qu'est-ce qui vous arrive? lança Nathan, les yeux écarquillés.

Mais il ouvrit les yeux plus grand encore lorsqu'ils lui exposèrent l'objet de cette communication.

— Ça veut dire que... que tu vas être mon papa pour de bon, et Amy ma maman pour de bon, et qu'on va être une vraie famille... et tout ça? s'exclama-t-il, fort excité.

— Oui, *tout ça* !

Matt ouvrit les bras pour étreindre en même temps sa femme et son fils tandis que Shadow, qui ne supportait pas d'être exclue du tableau familial, lui posait les pattes sur la poitrine.

Chère lectrice,

Vous nous êtes fidèle depuis longtemps?
Vous venez de faire notre connaissance?

C'est pour votre plaisir que nous avons imaginé un rendez-vous chaque mois avec vos auteurs préférés, vos AUTEURS VEDETTE dans les collections Azur et Horizon.

Les AUTEURS VEDETTE vous donneront rendez-vous pour de nouveaux livres vedette.

Pour les reconnaître, cherchez l'étoile... Elle vous guidera!

Éditions Harlequin

AUT-R-R

.E FORUM DES LECTRICES

'HÈRES LECTRICES,

'OUS NOUS ÊTES FIDÈLES DEPUIS LONGTEMPS ?

'OUS VENEZ DE FAIRE NOTRE CONNAISSANCE ?

I VOUS AVEZ DES COMMENTAIRES, CRITIQUES À
ORMULER, DES SUGGESTIONS À OFFRIR, N'HÉSITEZ PAS...
CRIVEZ-NOUS À : LES ENTREPRISES HARLEQUIN LTÉE.
498 RUE ODILE
FABREVILLE, LAVAL, QUÉBEC.
H7R 5X1

'EST AVEC VOS PRÉCIEUX COMMENTAIRES QUE NOUS ALLONS
OUVOIR MIEUX VOUS SERVIR.

1ERCI, À L'AVANCE, DE VOTRE COOPÉRATION.

ONNE LECTURE.

ARLEQUIN.

'OTRE PASSEPORT POUR LE MONDE DE L'AMOUR.

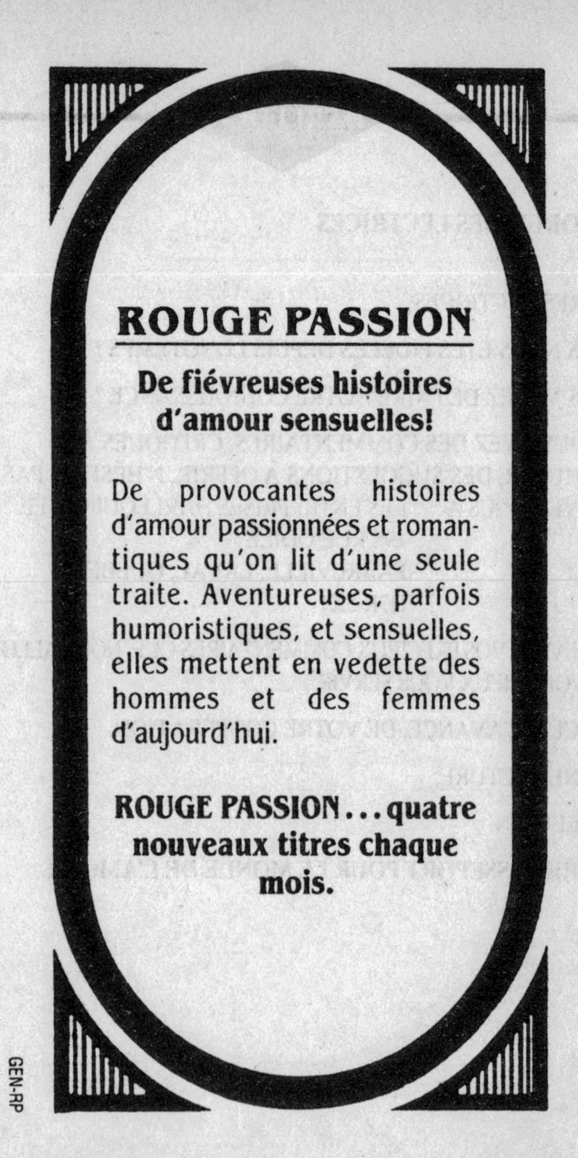
ROUGE PASSION
De fiévreuses histoires d'amour sensuelles!
De provocantes histoires d'amour passionnées et romantiques qu'on lit d'une seule traite. Aventureuses, parfois humoristiques, et sensuelles, elles mettent en vedette des hommes et des femmes d'aujourd'hui.
ROUGE PASSION... quatre nouveaux titres chaque mois.
GEN-RP

Composé sur le serveur d'EURONUMÉRIQUE, À MONTROUGE
PAR LES ÉDITIONS HARLEQUIN
Achevé d'imprimer en juillet 1997
sur les presses de l'Imprimerie Bussière
à Saint-Amand-Montrond (Cher)
Dépôt légal : août 1997
N° d'imprimeur : 1375 — N° d'éditeur : 6721

Imprimé en France